10-8-2013

MZZLmeiden gaan los

Lieve Sanne

Van harte gefeliciteerd met
je 13e verjaardag! Heel veel
plezier volgende week zaterdag :-)
En ook veel leesplezier!

Kuefs,

Lieke, Merle, Tryntje
Roel & Ingrid

Over de MZZLmeiden verschenen:

Marion van de Coolwijk

MZZL meiden gaan los

De Fontein

www.defonteinmeidenboeken.nl
www.marionvandecoolwijk.nl

© 2009 Marion van de Coolwijk
Voor deze uitgave:
© 2009 Uitgeverij De Fontein, Baarn
Omslagafbeelding: Peter van Duuren
Omslagontwerp: Edd, Amsterdam
Grafische verzorging: Text & Image, Almere

ISBN 978 90 261 2613 0
NUR 283, 284

Goed plan

'Hanna! Hanna! Waar ben je?'

De stem van Thijs schalde door het huis. Hanna legde gepikeerd haar pen neer en schoof haar bureaustoel naar achteren. Zo kon ze zich toch niet concentreren? Kon het dan niet één middagje rustig zijn in dit huis?

Hanna opende haar kamerdeur. 'Wat is er?' Ze schrok zelf van de schelle toon in haar stem.

'Voor jou.' Thijs nam de laatste twee treden van de trap in één sprong en gaf Hanna de telefoon aan. Op de vragende blik van Hanna ging hij niet in. 'Geen idee,' mompelde hij en stormde de trap weer af.

Hanna draaide zich om en liep terug naar haar kamer. 'Met Hanna.'

'Druk?'

Hanna herkende de stem meteen. 'Ja, tussentoets morgen en ik moet nog beginnen, dus als je het niet erg vindt?'

Het was even stil aan de andere kant van de lijn. Hanna kon het niet opbrengen om aardiger te zijn. Jasper had geen idee wat een toetsweek inhield. Ze had hem al een paar keer gezegd dat haar schoolwerk nu voorging en dat ze even niet gestoord wilde worden, maar op de een of andere manier had het hem alleen maar vasthoudender gemaakt. Hij belde bijna iedere dag. Nu wel...

Hanna wist dat ze, na de confrontatie tussen Pieter en Jasper, het onmogelijke had gevraagd van de jongens, maar ze moest doorzetten. Ze had tijd nodig om de dingen te overdenken en wilde even geen persoonlijk contact, met geen van beiden. Ze kon niet kiezen, nog niet. Dat had ze hun duidelijk gemaakt en wonder boven wonder hadden ze haar voorstel geaccepteerd: ze zouden haar de tijd gunnen om na te denken. Want dat ze moest kiezen, was een voorwaarde van de jongens. Delen wilden Pieter en Jasper haar niet!

Pieter had haar een paar keer gebeld sinds ze uit Londen terug was. Hij liet met zijn lieve woorden merken dat hij nog steeds gek op haar was, maar pushte haar niet. Jasper daarentegen was de afgelopen tijd overduidelijk bezig met een aandachtsoffensief. Het irriteerde haar dat hij totaal voorbijging aan haar gevoelens. Zo kon ze toch niet nadenken?

Het avontuur met Joshua in Londen had haar ogen geopend: de wereld was veel groter dan ze ooit had kunnen bevatten en ze wilde eerst uitvinden wat ze zelf wilde. Haar relatie met Jasper was te standaard, te veilig en vooral te saai. Ze kon zich niet meer voorstellen dat ze zijn vele telefoontjes en sms'jes ooit fijn had gevonden. En dat Jasper zich niet aan de afspraak hield, vond ze eigenlijk heel vervelend.

'Ik...' Het was even stil. 'Ik wilde je vragen of je zin hebt om morgen mee te gaan naar de première van de nieuwe Bond-film. Ik heb twee kaartjes en ik dacht...'

Hanna beet op haar onderlip. Hij was bijna gemeen. Jasper wist donders goed dat ze graag meewilde.

'Ik kan niet.' Het was eruit voor ze er erg in had. 'Ik zeg toch dat ik toetsweek heb!'

Hanna kon haar boosheid niet verbergen. 'Ook al zou ik meewillen, ik kan niet! Weet je eigenlijk wel hoe belangrijk deze cijfers zijn voor mijn examen straks? Heb je trouwens überhaupt enig idee waar ik mee bezig ben? Als ik jou bel, heb je het altijd druk met belangrijke zaken, maar van mij verwacht je wel dat ik meteen alles laat liggen. Nou, mooi niet! Ik kan niet, hoor je. Zoek maar een vriendin die de hele dag niets anders te doen heeft dan op jouw telefoontjes wachten. Dag Jasper!'

Ze drukte de telefoon uit en smeet het apparaat op haar bureau. 'Slijmbal!'

'Wie is een slijmbal?'

Hanna draaide zich om en keek recht in het grijnzende gezicht van haar zusje Kim. 'Moet ik daar nog antwoord op geven? Je hebt het hele gesprek waarschijnlijk toch staan afluisteren op de gang.'

Kim keek beledigd. 'Ik? Zoiets zou ik toch nooit doen?' Ze tokkelde met haar vingers tegen de deurpost. 'Is het nou uit tussen jullie of...'

'Gaat je niets aan,' snauwde Hanna.

'Wat heb jij toch? Ik probeer alleen maar belangstellend te zijn, hoor.'

'Nieuwsgierig zul je bedoelen.' Hanna wilde de deur dichtduwen, maar Kim week niet van haar plaats.

'Mag ik nu misschien eindelijk verdergaan met mijn huiswerk?' verzuchtte Hanna.

Kim deed een stap naar voren. 'Als je mij de telefoon even geeft.'

Met een snel gebaar griste Hanna de telefoon van haar bureau en gaf die aan Kim. 'En nu opzouten.'

Met een klap viel de deur dicht.

'Hanna!'

'Wat nou weer?' mompelde Hanna die net haar lesboek Grieks dichtklapte.

'Tafel dekken!'

Hanna liep de gang op en boog voorover in het trapgat. Haar moeder stond onder aan de trap. 'Kan Kim of Thijs dat niet een keertje doen?' zei Hanna. 'Ik ben nog heel even bezig.'

'Kim ruimt haar kamer op en Thijs is naar voetbal. Extra training.'

Hanna wist genoeg en liep de trap af.

'Je hebt de hele avond nog,' zei haar moeder.

'Vanavond ga ik naar Joan,' mompelde Hanna die langs haar moeder naar de keuken liep en de bestekla opentrok.

'Is dat wel verstandig?' Haar moeder kwam achter haar aan.

'Nee, maar wel gezellig. En een beetje gezelligheid kan ik wel gebruiken.' Hanna pakte bestek en bracht het naar de tafel.

'Je doet net of het hier ongezellig is,' ging haar moeder verder.

Hanna zei niets en pakte de placemats uit de kast.

'Gaan jullie iets speciaals doen?' Mevrouw Verduin tilde het deksel van de pan op en prikte met een vork in een van de aardappels.

Hanna mompelde iets onverstaanbaars.

'Nog een paar minuutjes. Wil jij papa even roepen en zeggen dat we over een kwartiertje gaan eten? Hij zit in de schuur. Thijs zijn band was lek en...'

Hanna liet de placemats op tafel vallen. 'Ja, moet ik nu de tafel dekken of papa roepen?'

Heel even keken ze elkaar aan. Hanna zag de boze blik in haar moeders ogen en wist dat ze te ver was gegaan. 'Sorry, ik ga al.'

Even later kwam ze terug en legde de placemats recht. Ze voelde haar moeders ogen in haar rug prikken, maar zei niets.

'Is er iets?' De stem van haar moeder klonk bezorgd. Hanna kneep het mes in haar hand bijna fijn. Ze wist wat er ging komen en ze wilde het niet. Niet nu!

'Nee, hoezo?' Hanna bleef met haar rug naar haar moeder gekeerd.

'Je doet zo... zo... kortaf.'

'O, niks hoor. Ik ben wat gestrest van al dat huiswerk. Ik moet mijn cijfer voor Grieks ophalen, anders red ik het dit kwartaal niet.'

'Hoezo? Je staat er toch goed voor?'

Hanna draaide zich om. 'Mam, ik sta een vijfenhalf voor Grieks. Dat is vreselijk. Ik kan het gewoon niet maken om geen zeven op mijn rapport te hebben straks.'

'Je stelt jezelf veel te hoge eisen,' antwoordde haar moeder. 'Een zes is ook voldoende.'

'Voldoende is niet goed genoeg,' zei Hanna. 'Ik weet dat ik het beter kan.'

'Alles kan altijd beter,' ging haar moeder verder. 'Ook de sfeer hier in huis.'

'Wat bedoel je daar nu weer mee?' Hanna pakte de borden uit de kast en zette ze op tafel.

'Gewoon, wat ik zeg. Ik vind de sfeer hier in huis de laatste tijd een vijfenhalf. Dat kan beter.'

Hanna glimlachte om de woorden van haar moeder. Humor was altijd al haar sterkste kant geweest. 'Mee eens.'

'Zo makkelijk kom jij niet van me af, dame.' Mevrouw Verduin liep naar de tafel. 'Kom even zitten.'

Hanna aarzelde. Als ze zat, kon ze haar moeders onderzoekende blik niet meer ontwijken. Ze bleef liever staan.

'Zit!' Mevrouw Verduin schoof een stoel naar achteren. 'Ik had eigenlijk vanavond met je willen praten, maar misschien is het beter om dat maar meteen te doen.'

Hanna had geen keus en ging zitten. Ze probeerde zo neutraal mogelijk te kijken.

'Is het waar dat jij en Joan plannen hebben om op kamers te gaan?'

Hanna's mond viel open van verbazing. 'Hoe... hoe weet je dat?'

'Dus het is waar?'

Hanna wist niet goed wat ze moest zeggen. 'We... ik... we hebben het er vaag over gehad, ja.'

'Vaag?'

'Ja, echte plannen zijn er niet, hoor. Het was meer een geintje. Ik bedoel... het leek ons leuk om...'

'Thomas belde vanmiddag.'

Hanna hapte naar adem. 'De vader van Joan?'

Haar moeder knikte. 'Hij vroeg hoeveel wij wilden bijdragen aan jullie huis.'

'Wat?' Hanna was oprecht verbaasd. 'Maar...'

'Hij wilde weten wat ons budget was voor jou.'

'Wat... wat heb je gezegd?'

'Dat wij geen budget hebben, en al helemaal niet voor een huis voor een van onze kinderen.'

'Mam, ik wist echt niet... ik bedoel... Joan en ik hebben het er wel over gehad, maar ik weet ook wel dat het niet kan.'

'Zou je het willen?'

'Wat?'

'Op kamers.'

Hanna zweeg. Ze wilde haar moeder geen verdriet doen, maar wilde haar gevoelens ook niet verloochenen.

'Wees eens eerlijk,' drong haar moeder aan.

'Nou, het lijkt me wel leuk.'

'Leuk?'

'Goed, ik bedoel goed.' Ze keek haar moeder aan. 'Mam, ik vind het hier gewoon te onrustig. Ik wil een plekje voor mezelf, waar ik niet gestoord word en waar ik kan ontdekken wat ik nu eigenlijk wil in mijn leven. Het voelt gewoon...'

'Beklemmend?'

'Ja.' Hanna schrok van haar antwoord en krabbelde terug. 'Nee, nee zo bedoel ik het ook weer niet.' Ze zuchtte. 'Voorlopig ben ik hier nog wel even. Eerst examen doen, dan studeren... er is helemaal geen geld voor een eigen woonruimte.'

'Joans vader wil helpen.'

'Helpen?' Hanna fronste haar wenkbrauwen.

Mevrouw Verduin zuchtte. 'Hij heeft ons een voorstel gedaan.' Ze wachtte even. 'Een voorstel waar ik het niet echt mee eens ben, maar ik wil het je toch vertellen.'

Hanna hield haar adem in. Ze zag dat haar moeder worstelde met haar woorden. 'Wat dan?' fluisterde ze.

'Hij wil een huis kopen voor Joan en dan kun jij, tegen een minimale huurprijs, bij haar komen wonen.'

'Echt?' Hanna kon een glimlach niet onderdrukken. 'Te gek, dat...' Ze stokte toen ze haar moeders gezicht zag.

'Papa en ik zijn het er niet mee eens.' Haar moeders stem zette haar weer met beide benen op de grond. 'Je bent pas zestien en je zit nog op school. Een eigen huis kost je veel te veel tijd en daar zal je huiswerk onder lijden.'

Hanna zweeg. Ze kon er nu wel tegen ingaan, maar ze had totaal geen recht van spreken. Toen ze het in Londen met Joan had gehad over 'op kamers gaan', had ze het als een droom gezien. Een wens die ooit zou uitkomen. Niet als een plan.

Joan had daar kennelijk anders over gedacht. Hanna nam het zichzelf kwalijk dat ze dit niet had voorzien. Joan had haar ouders ingeschakeld, haar rijke ouders, en het allemaal geregeld, zonder met haar te overleggen. Hanna had haar ouders laten overrompelen door Joans vader en schaamde zich rot. Alsof ze geheimen had. Eerlijkheid en openheid waren juist de dingen die ze van haar ouders had meegekregen in haar leven en waar ze zelf zo veel waarde aan hechtte.

'Mam, ik wist echt niet dat Joan zo serieus was. We hebben in Londen alleen maar wat gekletst over hoe het zou zijn als we ook zelfstandig zouden wonen. Tanja heeft het zo leuk. Ze kan doen wat ze wil en is zo volwassen geworden. Dat wilden wij ook.'

'Dat snap ik, lieverd,' zei haar moeder. 'Maar volwassen worden kun je ook hier... thuis. Dat bespaart ons veel geld, en jou veel tijd.'

Hanna fronste haar wenkbrauwen. 'Hoezo?'

'Besef je wel hoeveel tijd je kwijt bent aan boodschappen doen, het huishouden, koken, wassen, strijken? Dat krijg je hier allemaal zomaar in je schoot geworpen. Je kunt alle tijd besteden aan je huiswerk, je vriendinnen en –'

'Hou maar op,' mompelde Hanna. 'De boodschap is duidelijk. Ik blijf gewoon tot mijn tachtigste thuis wonen.'

'Zo lang?' Meneer Verduin stapte de keuken in en gaf

zijn dochter een zoen. 'Lekker geleerd?'

'Hmm, gaat wel.'

Meneer Verduin tilde een van de deksels op en snoof de geuren op. 'Lekker, slavinkjes en andijvie.'

Thijs stormde de keuken in en smeet zijn voetbaltas in de hoek. 'Daar ben ik! Wat eten we?'

Terwijl hij bij zijn vader kwam staan en verlekkerd meekeek in de pannen, kwam ook Kim de keuken in gelopen. 'Mijn kamer is weer toppie. Wat eten we?'

Hanna keek haar moeder aan en glimlachte. Ze begrepen elkaar ook zonder woorden.

'Je had het eerst met mij moeten overleggen.' Hanna smeet haar tas op Joans bed. 'Mijn ouders waren op zijn zachtst gezegd overrompeld.'

Joan sloot de deur van haar kamer. 'En?'

'Wat en?'

'Nou, mag het?'

'Wat?'

Joan zuchtte. 'Of je samen met mij op kamers mag.'

'O.' Hanna schudde haar hoofd. 'Nee.'

'Niet?'

'Ben je doof?'

'Waarom niet?'

Hanna haalde haar schouders op. 'Wil je de korte of de lange versie?' Zonder een antwoord af te wachten, ging ze verder. 'Er is geen geld, het huishouden kost te veel tijd, mijn huiswerk gaat eronder lijden en ze kunnen me nog niet missen. Daar komt het in het kort op neer.'

Joan liet zich op haar bed vallen. 'Wat een flauwekul. Geld heb ik genoeg, voor het huishouden huren we iemand in en je huiswerk kun je toch juist in alle rust maken zonder dat gedoe van je zus en broers?'

Hanna kwam naast haar zus zitten. 'Ik weet het, maar het overviel mijn ouders en ik denk dat ze even tijd nodig hebben... hoop ik.'

'Mijn vader gaat –'

'Jouw vader gaat helemaal niets,' viel Hanna haar in de rede. 'Mijn ouders hebben ook hun trots.' Ze wachtte even. 'En ik ook. Ik kan niet zomaar geld aannemen.'

'Waarom niet? Wij hebben genoeg.'

'Dat weet ik, maar het voelt gewoon niet goed om iets voor niets te krijgen.'

'Wat een onzin,' mopperde Joan. 'Laat ik je snel uit de droom helpen: mijn vader doet niets voor niets. Hij koopt het pand gewoon als belegging. Toevallig mogen wij er dan in wonen, als een soort bewaking. Over een paar jaar verkoopt hij het pand dan weer met dikke winst. Echt, het is geen kwestie van liefdadigheid.'

'Als je het zo bekijkt.'

'Ja, ik bekijk het zo en dat zou jij ook eens moeten doen. Altijd die misplaatste trots van jou als het over geld gaat.' Joan zette met de afstandsbediening de muziek aan en trok een beledigd gezicht. 'Je wilt nooit iets van mij aannemen, terwijl ik het met alle liefde met je deel. Die trots van jou gaat je nog eens opbreken, zus!'

Hanna vond het gesprek totaal de verkeerde kant op gaan. 'Mijn trots is op dit moment wel het enige wat ik nog heb. Thuis is het een gekkenhuis, op school gaat het helemaal fout, Jasper irriteert me, Pieter lijkt van de aardbodem verdwenen en mijn avontuur met Joshua was ook geen succes.'

'Doe niet zo dramatisch, zeg,' mompelde Joan. 'Je hebt mij en Tanja toch?'

Hanna kon een glimlach niet onderdrukken. 'Dat is waar. Sorry, daar had ik totaal niet aan gedacht, zeg. Ben ik even happy opeens.'

Joan keek op en fronste haar wenkbrauwen. 'Neem je mij nou in de maling?'

'Nee hoor, ik zou niet durven.'

Het was even stil in de kamer.

Joan pakte een paar prints van haar boekenplank. 'Ik heb op verschillende woningsites al heel leuke panden gezien. Midden in het centrum, Herengracht, Spiegelstraat... Echt, te gekke huizen staan daar te koop. Deze bijvoorbeeld leek me echt perfect, maar het dakterras is niet erg groot. Ik denk niet dat er een jacuzzi op past. Wat denk jij?' Ze overhandigde Hanna een van de papieren.

Hanna's ogen gleden over de foto's van het kapitale grachtenpand en ze schudde meewarig haar hoofd. 'Nee, inderdaad, veel te klein. Ik wil minstens een inpandig zwembad.'

'Precies.' Joan veerde op. 'Ik heb al tegen papa gezegd dat we wel een behoorlijk huis nodig hebben. Ik wil er niet op achteruit gaan.'

'Nee, natuurlijk niet,' vulde Hanna aan. 'Ik ook niet.'

Heel even keken ze elkaar aan.

'Sorry,' zei Joan ietwat verlegen. 'Ik dacht even niet na.'

'Geeft niets,' antwoordde Hanna gelaten. 'Doe je wel vaker niet.'

Joan wist zo gauw niets te zeggen.

Hanna glimlachte. 'Het valt me nog mee dat je niet al een optie hebt op een van die huizen.'

'Heb ik wel,' fluisterde Joan en ze zwaaide met een andere print.

'Wat?' Hanna sloeg met haar vuist op het dekbed. 'Ben

je nou helemaal van de pot gerukt? Straks ga je me nog vertellen dat je vader al een huis gekocht heeft.'

'Nee, tuurlijk niet. Ik wilde niet zonder jou beslissen.'

'O... toch niet?'

Joan sloeg haar arm om Hanna's schouder. 'Doe nou niet zo... zo...'

'Zo wat?'

'Zo Hanna-achtig.'

'En dat is?'

Joan haalde haar schouders op. 'Verdedigend.' Ze hield de brochure voor Hanna's neus. 'Relax! Geniet nou eens een keer van verrassingen.'

'Noem je dit een verrassing?' brieste Hanna. 'Ik zie het meer als een overval.' Ze schudde zich los. 'Als jij alles al geregeld hebt, mis ik de voorpret. De voorbereidingen, het zoeken, de lol. Jij, jij... jij hebt alleen maar aan jezelf gedacht.'

Ze liep naar het grote raam en staarde voor zich uit. 'Ik vind er zo niets aan,' fluisterde ze en ze voelde haar ogen prikken. 'Dan blijf ik nog liever thuis wonen. Ben ik meteen van alle discussies af, want mijn ouders vinden het toch al geen goed idee dat ik op mezelf ga wonen.'

Joan legde de stapel printjes neer en liep naar Hanna toe. 'Het spijt me. Je hebt gelijk. Ik loop weer eens te hard van stapel.' Ze balde haar vuisten. 'Ik ben ook zo ongeduldig. Als ik iets wil, dan wil ik het meteen.'

'Weet ik,' mompelde Hanna. 'En ik ben precies het tegenovergestelde.'

'Ja, als we op jou moeten wachten, mogen we blij zijn met een plaatsje in het bejaardenhuis.'

Hanna glimlachte. 'Weet ik ook.' Ze draaide zich om. 'Sorry, misschien heb je gelijk. Mijn ouders gaan er al min of meer van uit dat ik me erbij neerleg, juist omdat ik altijd zo meegaand ben.' Ze rechtte haar rug. 'Het wordt tijd dat ik een keer in opstand kom.'

'Zo mag ik het horen,' zei Joan. 'In de aanval. Een nieuwe Hanna staat op.' Ze pakte Hanna bij haar schouders en duwde haar in de richting van de deur. 'Weet je wat? We beginnen opnieuw. Jij komt enthousiast binnen en vraagt hoe het met de huizenjacht gaat en dan gaan we samen de huizen op de sites bekijken.'

Nog voordat Hanna iets kon zeggen, stond ze op de gang voor een gesloten deur die meteen weer door Joan werd opengedaan.

'Hee, Hanna! Wat leuk dat je er bent. Kom binnen.' Joan maakte een uitnodigend gebaar en even later zaten ze achter de computer en bekeken alle te koop staande panden in het centrum van Amsterdam.

Hanna durfde niets te zeggen over de enorme bedragen die erbij stonden. Als Joans vader echt zo veel geld had en een huis als belegging zag, dan wilde ze daar niet moeilijk over doen. Het feit dat haar ouders het geen goed idee vonden dat ze op kamers ging, verdrong ze. Het enthousiasme van Joan was aanstekelijk en al snel genoot ze van alle pracht en praal op de woningsites. Ze wist niet dat er zulke grote huizen bestonden in hartje Amsterdam.

'En deze?' Hanna wees op een pand aan de Prinsengracht.

Joan boog voorover. 'Maar zes slaapkamers... is dat niet een beetje weinig?'

'Hoezo? We zijn maar met zijn tweeën.'

'Ja, maar als Tanja, Mike of Parrot overkomt...' Joan keek haar zus vragend aan. 'En als we een feest geven, blijven er misschien gasten slapen.'

'O ja,' mompelde Hanna. 'Daar heb ik nog niet aan gedacht. Moeten we dan niet eerst bedenken wat we precies willen? Hoeveel kamers, wel of geen tuin, een dakterras...'

'Het aantal badkamers,' vulde Joan aan. 'Ik wil wel een eigen badkamer.'

'Ja, logisch.' Hanna grijnsde. 'Met al die make-upspullen van jou kun je wel drie badkamers vullen.'

'Precies!'

Hanna pakte een papier uit de printerla en een pen. 'Oké, we maken een lijst. Eerst de dingen die wij noodzakelijk vinden, dan de dingen die wenselijk zijn en uiteindelijk de dingen die aangenaam zijn, maar niet nodig.'

'Goed plan. Ik hoop dat je voldoende papier hebt.'

2

Te druk

'Hee, schatje. Hoe is het daar in Londen?'

Tanja beet op haar onderlip en keek geïrriteerd. 'Hoi Danny,' zei ze zacht. 'Luister, het komt nu even niet uit. Ik zit midden in een werkbespreking. Kun je straks even terugbellen?' Ze ratelde meteen door. 'Weet je wat? Ik bel jou wel. Over een uurtje, goed?' Ze verbrak de verbinding en propte haar mobiel in haar broekzak. '*Sorry, where were we?*'

De jongen tegenover haar glimlachte en Tanja voelde een rilling over haar armen lopen. Ze begreep meteen waarom deze jongen een van de bekendste modellen van Engeland was. Zijn felblauwe ogen leken wel licht uit te stralen en Tanja voelde de verleiding eraf spatten. Ze pakte haar glas op om zijn blik te ontwijken.

Toen Mike vorige week met het voorstel kwam om Terry te vragen voor haar nieuwe clip en zijn foto liet zien, was ze niet meteen enthousiast. Wat moest ze met zo'n gladnek? Die jongen paste toch helemaal niet bij haar? De weinige knappe jongens die ze in haar leven had ontmoet waren verschrikkelijk in de omgang. Leeghoofden waren het; jongens die alleen maar met zichzelf bezig waren. En Terry was de volgende in de rij. Kon Mike niet beter een jongen van de straat plukken voor haar nieuwe clip?

Ze had de afgelopen jaren wel geleerd dat schoonheid niet aan de buitenkant zat. Daarom vond ze Danny ook zo leuk. Danny was lief, grappig, eigenwijs, maar vooral zichzelf. Hij deed zich niet anders voor dan hij was. Danny was eerlijk en recht door zee. Daar hield ze van.

Op aandringen van Parrot en Mike had ze toch een afspraak gemaakt met Terry om te praten over een eventuele opdracht en nu zaten ze al een uur in een koffietent in een van de buitenwijken van Londen. Terry had van alles verteld over zijn vorige opdrachten en Tanja had hem in het kort verteld wat de bedoeling was van de clip. Ze moest toegeven dat hij oké was. Maar hij kon zich natuurlijk anders voordoen dan hij in werkelijkheid was.

'*Your boyfriend?*' Terry's stem klonk nieuwsgierig, maar Tanja ging niet op zijn vraag in. Ze zette haar glas neer en pakte zijn fotoboek van tafel. Zwijgend bladerde ze nogmaals door het boek, terwijl ze de onderzoekende blik van Terry op haar gericht voelde.

Parrot en Mike hadden gelijk. Deze jongen was enorm fotogeniek en ook zijn persoonlijkheid viel tot nu toe niet tegen. Zijn bewegingen waren soepel en hij straalde kracht uit. Precies wat ze nodig had voor haar nieuwe clip.

'*All right,*' zei Tanja en ze keek op. '*I like you.*'

Terry gaf haar een knipoog. '*I like you too.*'

Heel even was Tanja van haar stuk gebracht, maar ze herstelde zich snel. Dit was een zuiver zakelijk gesprek en ze liet zich echt niet inpalmen door de eerste de beste gladde jongen. Ze gaf hem Mikes kaartje. Die zou de zakelijke dingen met hem doornemen. De opnames waren volgende week.

Tanja stond op en gaf Terry een hand. '*See you next week.*'

Terry schoof zijn stoel naar achteren en kuste Tanja's hand. '*I'm looking forward to it.*'

Heel even bleven hun blikken aan elkaar plakken en Tanja voelde haar hand klam worden. Snel trok ze hem terug en pakte haar jas en tas. '*Bye.*'

Een paar seconden later stond ze buiten en haalde diep adem. Zonder om te kijken liep ze naar de ingang van de metro. Achter zich hoorde ze haar naam roepen. Het was een schrille meisjesstem en Tanja besloot niet te reageren. Vast een fan die haar herkend had. Ze versnelde haar pas en dook de roltrap op. Weer werd haar naam geroepen. Tanja keek strak voor zich uit. Nu even niet!

Parrot en Mike hadden haar geleerd dat je het beste niet kon reageren op geschreeuw van fans. 'Blijf rustig en loop door,' had Mike gezegd toen ze een keer werden belaagd door een groepje fans. 'Boos worden heeft geen zin; dat vinden mensen alleen maar leuk. Voor je het weet sta je op de voorpagina van een tabloid.'

Tanja stapte de roltrap af en versnelde haar pas richting de metro die al aan kwam rijden. Ze had geluk. Eenmaal in de wagon ontspande ze. De stoel bij de tussendeur was nog vrij en Tanja ging zitten.

'Je zou me bellen, Tan.' Danny liet duidelijk merken dat hij teleurgesteld was. Het was vroeg in de avond en Tanja was druk bezig in de keuken. Parrot en Mike zouden straks mee-eten en ze had beloofd om te koken. Vanavond moesten ze naar de studio voor de laatste besprekingen over de nieuwe clip.

'Ik...' Tanja zweeg. Ze had geen zin om zich te verdedigen. Ze had toch gezegd dat ze het druk had? Ze draaide het gas lager en legde het deksel iets schuin op de pan. Het water kookte en ze moest de spaghetti erin doen.

'Ben je er nog?'

'Ja, sorry hoor, maar ik heb het druk. Dat begrijp je toch wel?'

'Jij hebt het altijd druk... als ik bel.'

De sarcastische ondertoon bij de laatste drie woordjes maakte Tanja boos. 'Dat is niet eerlijk. Je doet nu net of ik het expres doe.'

'Niet dan?'

'Nee! En als je niet ophoudt, hang ik op.'

'Je bent lief als je boos bent,' zei Danny lachend. 'Ik hou wel van een dame met pit.'

Tanja propte haar mobiel tussen haar hoofd en schouder en probeerde met haar tanden de plastic verpakking los te scheuren. Een iets te harde ruk deed het plastic scheuren en de spaghetti vloog in het rond. 'Ook dat nog!' Ze probeerde zo veel mogelijk spaghetti te vangen voordat die de grond raakte. Haar mobiel viel op het aanrecht.

'Alles gaat hier mis!' schreeuwde ze, terwijl ze wat spaghettistokjes in het kokende water gooide. 'Het komt nu echt niet uit, Danny. Het spijt me. Ik bel je straks terug, oké?'

De bekende piepjes klonken en Tanja veegde de laatste spaghetti van de grond en gooide die in de prullenbak. 'Hopelijk heb ik nu nog genoeg,' mompelde ze.

De tomatensaus begon te prutttelen en er verschenen kleine, rode spettertjes op haar shirt. '*Shoot!*' Ze sprong achteruit en met gestrekte arm draaide ze het gas onder de saus lager.

'Hee meisje, is het eten al klaar?' Parrot legde zijn sjaal op het aanrecht.

Tanja wapperde met haar handen. 'Niet daar! De saus...'

Snel trok Parrot de sjaal weg en gaf Tanja een kus. 'Volgens mij gaat het hier niet echt lekker.'

'Wil je daar een antwoord op?' bromde Tanja die de spaghetti in de pan met een lepel onder water duwde. 'Ik kan helemaal niet koken.'

'Tuurlijk wel,' riep Mike die de keuken in kwam lopen. '*You are a far better cook than either of us. What are we eating?*'

Tanja keek op. Nam Mike haar nu in de maling? 'Dat zie je toch!' riep ze. 'De hele keuken zit onder de spaghetti en de saus.'

'Denk je dat borden nog nodig zijn?' zei Parrot. 'Of eten we gewoon van de muren?'

Tanja kon er niet om lachen. Ze roerde de spaghetti in de pan om en trok de bestekla open. 'Als jullie de tafel dekken, probeer ik hier nog iets van te maken.' Ze pakte drie vorken en lepels en gaf die aan Parrot.

'Hoe ging het met Terry?' vroeg Mike nieuwsgierig.

'Nu even niet,' riep Tanja. Ze duwde een bakje geraspte kaas in Mikes handen. 'Hup... weg hier!'

Tien minuten later zaten ze aan tafel en kon Tanja eindelijk haar verhaal kwijt. Mike en Parrot waren blij dat ze Terry zag zitten als tegenspeler in haar nieuwe clip.

'De voorbereidingen zijn in volle gang,' zei Parrot. 'Kunnen we het meteen rondmaken met het management van Terry.'

Mike en Parrot bespraken de tijdsplanning met elkaar, terwijl Tanja met haar vork in een bergje spaghetti prikte en draaide. De sliertjes vielen steeds terug op haar bord. Echt honger had ze niet. Dat hele gedoe met Danny zat haar dwars. Waarom belde die jongen ook altijd als ze net met iets bezig was? Zij stoorde hem toch ook nooit? Heel even stopte de vork met draaien. Ze realiseerde zich nu pas dat ze Danny eigenlijk nooit zelf belde. Hij was altijd degene die haar belde. En dan ook op ongelukkige momenten, zodat ze steeds moest ophangen. Tanja zuchtte. Moest ze zich nu schuldig voelen? Nee, schuldig was een groot woord. Ze voelde zich niet schuldig. Hooguit geïrriteerd. Steeds als Danny contact zocht, had ze geen tijd voor hem. Maar dat was toeval.

Hun relatie bestond uit korte, vaak ruziënde telefoongesprekken en sms'jes. Danny woonde in Frankrijk, zij in Engeland. Dat kon toch nooit goed gaan? Hoe vaak zag ze Danny eigenlijk? Weinig, te weinig. En het ergste was dat ze dat niet eens erg vond. Ze had het zo druk met haar eigen leventje, dat Danny steeds op de tweede plaats kwam.

Ze haalde haar mobiel uit haar zak en aarzelde. Parrot en Mike waren nog steeds druk in gesprek over de komende week. Zou ze Danny nu terugbellen? Heel even bewogen haar vingers over de toetsen van haar mobiel. Ze hoefde alleen maar de laatste oproep terug te bellen.

De mobiel verdween weer in haar zak. Nu niet. Niet waar haar vader en broer bij zaten. Ze zou straks wel bellen, in de auto of na de besprekingen in de studio. Danny had het nu vast te druk met zijn strandtent.

Parrot nam voor de deur van de platenmaatschappij afscheid van haar en Mike. Hij en zijn collega's van The Jeans zouden wat jamsessies gaan uitproberen voor een televisie-optreden dat binnenkort zou plaatsvinden.

'Zet 'm op,' zei hij toen hij Tanja een kus gaf. 'Zorg dat je er het volle budget uit sleept. Je nummer is het waard.'

'Daar zorg ik wel voor,' zei Mike lachend.

Tanja en Mike begaven zich naar het kantoor van de hoogste baas van de platenmaatschappij. Alles was rond. Het scenario van de clip lag klaar, Terry had ingestemd om mee te doen en het nummer was ronduit fantastisch. Volgens Mike kon er niets meer misgaan. Zodra het budget rond was, konden ze bepalen wanneer ze gingen draaien.

De avond leek aan Tanja voorbij te gaan. Mike was het meest aan het woord tijdens het overleg met de platenmaatschappij, terwijl Tanja er zwijgend bij zat. Ze had geen zin om zich ermee te bemoeien. Mike wist heel goed hoe hij dit moest aanpakken. Ieder woord van haar kon zijn strategie schaden.

Tanja glimlachte toen ze Mike hoorde zeggen dat Terry met zijn neus in de boter viel met zijn deelname, want nog voordat haar nieuwe cd uit was, waren er al meer dan honderdduizend van verkocht. Een unicum voor zo'n jonge zangeres en Terry zou heel veel aandacht krijgen voor zijn optreden in haar clip.

Terwijl Mike doorratelde, voelde Tanja haar mobiel in haar zak trillen. Ongemerkt schoof ze het toestel omhoog en bekeek het display. Danny! Ze kon nu onmogelijk opnemen.

'*Don't you think so, Tanja?*' De stem van Mike drong tot haar door.

'*Eh... yes. Yes!*' Ze knikte ijverig terwijl ze zich probeerde te herinneren wat er net was gezegd. Ze zag Mike opstaan en volgde zijn voorbeeld. Nadat ze allebei de hand van de directeur hadden geschud, liepen ze het kantoor uit.

'*All right,*' siste Mike. '*We've done it!*'

Tanja glimlachte wat geforceerd. Ze had geen idee waar Mike het over had, maar dat zou ze vast snel horen.

In de lift vertelde Mike wat er precies van haar werd verwacht de komende week. Tanja kon zich niet echt concentreren, maar deed haar uiterste best om de kernpunten vast te houden. Ze begreep uit Mikes woorden dat het een drukke week zou worden. Vroeg op, laat naar bed. Iedere dag draaien in de studio van een van de bekendste filmmaatschappijen van Engeland. Het decor was geregeld en Terry had getekend.

'*It will be great*!' zei Mike.

Ze stapten uit de lift en kregen van de receptionist te horen dat Parrot nog wel even bezig was. Mike stelde voor om nog wat te gaan drinken. Tanja aarzelde. Ze wilde liever naar huis, zodat ze Danny in alle rust kon bellen, maar het was nog vroeg. Ze kon hem straks ook nog bellen, als ze naar bed ging. Wel zo relaxed.

Even later smokkelde Mike haar een pub binnen. Tanja was dat wel gewend. Onder de achttien jaar mocht je je niet in een pub bevinden waar andere gasten alcoholische dranken nuttigden. De Engelse wet was streng. Veel strenger dan in Nederland. In het begin had Tanja zich openlijk geërgerd aan deze absurd strenge regels. Ze kon toch gewoon een colaatje nemen? Maar na een tijdje wist ze niet beter. In haar eentje meed ze pubs en sprak ze af in koffietentjes of broodjeszaken waar ze geen alcohol schonken. Maar in de avonduren, als ze uit wilde, zorgde ze ervoor dat ze altijd een meerderjarige bij zich had. Met Mike of Parrot aan haar zijde werd ze gewoon binnengelaten en vroeg niemand naar haar ID-kaart.

Het was druk in de pub en al snel voegden een paar vrienden van Mike zich bij hen. Een aantal van hen kende

Tanja wel. Vooral de meiden uit het groepje vonden het leuk dat ze er vanavond bij was. Ze waren echt geïnteresseerd en betrokken haar bij hun gesprekken. Het feit dat ze haar als de zus van Mike zagen en niet als de beroemde zangeres, gaf Tanja een ontspannen gevoel. De cocktails en biertjes maakten het gezelschap steeds losser en Tanja genoot van de afleiding.

De muziek nodigde uit om te dansen en Tanja gaf zich helemaal over aan de lome sfeer die er hing. Ze danste met een aantal jongens. Haar lichaam bewoog mee met de muziek. Ze wilde even alles en iedereen vergeten.

Een jongen pakte haar middel van achteren vast en danste met haar mee. Ze hief haar armen en gooide haar hoofd naar achteren. De jongen bewoog zich al dansend om haar heen en kwam recht tegenover haar te staan. Tanja voelde zijn handen om haar middel en leunde naar achteren. In een flits moest ze denken aan een scène uit *Dirty Dancing*, waarin Baby als een kromme hoepel achteroverhing in Johnny's armen.

De muziek versnelde en Tanja zwiepte overeind. Door de snelle beweging voelde ze haar hoofd draaien en ze sloeg haar armen om de jongen heen om steun te zoeken. Gretig trok hij haar naar zich toe en danste verder.

Een lichtflits vulde de dansvloer en ze hoorde Mike schreeuwen. Voordat ze kon reageren, drukte de jongen haar nog steviger tegen zich aan. Ze wendde haar hoofd af van waar de flits vandaan kwam en danste verder. Mike zou het wel regelen. Ze was het wel gewend dat ze te pas en te onpas werd gefotografeerd.

'Dit moeten we vaker doen,' zei ze tegen Mike toen ze naast hem op de achterbank van een taxi zat op weg naar huis.

'Ik vond het echt te gek.' Ze hoorde zichzelf slissen en schoot in de lach. 'Oeps, ik geloof dat dat laatste biertje net even te veel was.'

Mike glimlachte. 'Mmm. *That's why* je in Engeland niet drinken mag voor je achttien bent.'

'Maar ik ben Nederlandse, hoor,' mompelde Tanja die nog steeds moest lachen om het gebrekkige Nederlands van haar Engelse broer. 'Zestien jaar... dan mag je bij ons drinken.'

Mike sloeg zijn arm om zijn zus heen. 'Het is beter als het bij deze ene avond blijft. Ik wil je *image* niet stuk laten maken door een paar amateurfotografen.'

'Hoezo?' Tanja keek haar broer lodderig aan.

'*Didn't you notice?*' vroeg Mike en hij vertelde dat er foto's waren gemaakt van haar op de dansvloer door een paar opgeschoten jongens. Voordat hij ze kon tegenhouden, waren ze de pub uit gevlucht. Met de foto's.

Tanja haalde haar schouders op. 'Geeft niets, joh! Ik heb niets te verbergen.'

'*You are sixteen,*' zei Mike. '*You're not allowed to be there.*'

'Maak je niet druk.' Tanja kuchte. 'Deze avond is veel te leuk om te verpesten met dit soort onbenulligheden.'

'*I have to protect you,*' ging Mike verder.

Tanja voelde zich loom en zwaar en liet haar hoofd op zijn schouder vallen. 'Je doet maar. Je doet net of ik gek ben.'

'Mmm, *crazy, yes! That's why people love you.*'

Tanja voelde haar oogleden zakken en de stem van Mike vervaagde. De taxi maakte een scherpe bocht, maar ze merkte het niet meer.

3
Saai

'Waar was je gisteren?' Tessa schoof haar tas onder de tafel en klapte haar boek open. Mevrouw Bosse, de lerares wiskunde, was druk bezig met het schrijven van formules op het bord.

'Niet lekker,' antwoordde Joan. Ze had geen zin om haar vriendin uit te leggen waar ze werkelijk was. 'We hadden toch maar drie lesuren, dus zo erg is was het niet.'

'Je had me toch wel even kunnen sms'en?' siste Tessa. 'Dan had ik me geestelijk kunnen voorbereiden op een eenzame les mandenvlechten bij handvaardigheid.'

'Oeps, helemaal vergeten.' Joan grijnsde. 'Wat jammer nou dat ik dat mandenvlechten heb gemist.'

Mevrouw Bosse vroeg ze hun boek open te slaan op pagina veertien.

'Ja, en zal ik je wat vertellen?' fluisterde Tessa. 'Je mag volgende week twee uur langer blijven om je mand af te maken.'

'Wat?' Joan vloog omhoog. 'Echt niet!'

'Is er wat, Joan?' Mevrouw Bosse keek Joan vragend aan.

'Eh... nee. Er is niets. Sorry!'

Terwijl de lerares de klas opdroeg de opdrachten op pagina veertien te maken, boog Joan opzij naar Tessa. 'Heeft ze dat gezegd?'

Tessa knikte. 'Er waren er meer niet. Ze was geïrriteerd en heeft alle namen opgeschreven. Ze zei letterlijk dat ze de afwezigen het geluk van het mandenvlechten niet wilde ontnemen.'

'Wat een rotstreek. Ik spijbel nog eens...'

'Ik dacht dat je ziek was.'

'Ja, ziek van school!' Joan dacht terug aan haar stadswandeling en glimlachte. Ze bedacht dat het geen kwaad kon om Tessa in te lichten over haar plannen. 'School is saai en ik had gisteren wel wat beters te doen.' Haar ogen twinkelden. Tessa moest nu wel vragen wat ze had gedaan.

Enthousiast vertelde Joan over haar plannen om met Hanna een huis te gaan kopen.

'Te gek!' riep Tessa iets te hard.

'Dames, nu is het genoeg!' Mevrouw Bosse liep naar de twee meisjes toe. 'Pagina veertien, Joan. Misschien toch handig als je de juiste pagina voor je hebt?'

'Ja, stom,' zei Joan. 'Dank u wel.'

Heel even keken ze elkaar aan, maar Joan deed net of er niets aan de hand was.

'En nu aan het werk!' zei mevrouw Bosse en ze liep terug naar haar tafel voor in de klas.

'Heks,' fluisterde Joan terwijl ze haar pen pakte.

'Ga je echt op kamers?'

Het was pauze en het bericht dat Joan misschien op kamers ging, was als een lopend vuurtje door de klas gegaan.

'Nee,' zei Joan wat hooghartig. 'Ik ga niet op kamers. Pfff... Ik wil er natuurlijk niet op achteruit gaan. Mijn vader koopt een compleet appartement in het centrum. Hanna en ik gaan daar dan wonen. Puur belegging, hoor.'

Een aantal klasgenoten keek jaloers, maar er waren er ook die wat meewarig glimlachten.

'Dus je rijke pleegpappie betaalt weer?' riep Dirk. 'Doe jij eigenlijk wel eens wat zelf?'

Joan wilde niet reageren, maar toen een paar meiden begonnen te giechelen, ontstak ze in woede. 'Ik vertel jullie nog eens wat,' brieste ze.

'Word maar boos,' ging Dirk verder. 'Dat is het enige wat jij kunt: mooi zijn en boos worden als je je zin niet krijgt. Je bent de Nederlandse kloon van Paris Hilton.'

Weer werd er gelachen. Tessa hield wijselijk haar mond en lachte niet mee, maar voelde zich duidelijk niet op haar gemak.

Joan liep naar Dirk toe. 'En wie ben jij dan wel, mannetje? Wie geeft jou het recht om te oordelen over anderen?' Ze glimlachte meewarig. 'Ach ja, dat is ook zo. Mensen die zelf heel onzeker zijn, halen hun zelfvertrouwen uit het afkatten van anderen.'

Dirk was duidelijk even uit het veld geslagen en het lachen verstomde. Joan wist dat ze aan de winnende hand was. Ze zou die boer wel eens even op zijn plaats zetten.

'Ik kan het ook niet helpen dat jouw ouders geen geld hebben en dat je al weken in dezelfde spijkerbroek rondloopt. Daar zeg ik toch ook niets van?'

Dirk kreeg een kleur.

'Dat is gemeen,' riep Eva.

'Hij begon,' zei Joan. 'Wie de bal gooit, kan hem terugverwachten.'

Dirk draaide zich om en liep de kantine uit. Eva en nog een paar anderen volgden hem.

Joan sloeg triomfantelijk haar armen over elkaar.

'Moest dat nou zo?' siste Tessa.

Joan knikte. 'Die pummel leert het nooit. Hij heeft iedere keer wat te zeiken over mijn geld. Hij is gewoon stinkend jaloers.'

'Vind je het gek?' ging Tessa verder. 'Iedereen is jaloers op je geld. Ik ook.'

Joan keek verbaasd. 'Jij ook?'

Tessa trok Joan mee naar een tafeltje in de hoek van de kantine. 'Kun jij je wel eens in een ander verplaatsen?'

'Ja hoor, hoezo?'

'Ik zou heel graag op kamers willen, maar dat zit er de eerstvolgende honderd jaar niet in. Mijn ouders kunnen net rondkomen. Ik weet niet eens zeker of ik kan studeren. Als ik jou dan zo hoor praten over complete appartementen... ja, dan ben ik jaloers. Dat zou ik ook wel willen.'

'Nou, dan kom je er toch gewoon bij? Ruimte zat. We nemen minstens zes slaapkamers.'

'Jij begrijpt het echt niet, hè?' Tessa was duidelijk beledigd.

'Wat?'

'Ik heb ook mijn trots.'

Joan slaakte een diepe zucht. 'Daar gaan we weer. Je lijkt mijn zus wel. Die heeft ook altijd haar trots. Mens, wat kan jou die trots nou schelen als je zo'n aanbod krijgt?'

Tessa haalde haar schouders op. 'Dank je voor het aanbod, maar nee! Ik verdien liever zelf mijn geld.'

'Dan niet.' Joan stond op en pakte haar tas.

'Waar ga je naartoe?'

'Naar huis. Dat zielige gedoe hier ben ik zat.'

'Maar...'

Meer hoorde Joan niet. Ze liep naar haar kluisje, pakte haar spullen en verliet de school.

'Ben je ook vrij?' Hanna sprong van haar fiets en schopte de standaard uit.

'Zoiets,' mompelde Joan. 'Wat goed dat jouw lesuren uitvielen. De makelaar kon een uurtje vrijmaken.' Ze keek op haar horloge. 'Ik denk dat hij er al is.'

Hanna klikte het slot dicht en pakte haar tas uit haar fietsmand. 'Ik ben er klaar voor. Laat maar zien.' Ze keek naar de overkant van de gracht en zag achter een van de ramen het bord TE KOOP hangen. 'Is het die?'

Joan schudde haar hoofd. 'Nee, dat pand heb ik wel gescreend, maar het is te klein.'

'O ja.' Hanna probeerde haar gezicht in de plooi te houden. Het kapitale pand was duizendmaal groter dan haar eigen kamer, maar ze deed net of het de gewoonste zaak van de wereld was en trok een afkeurend gezicht. 'Ik zie het. Veel te klein!'

Joan stak de Leidsestraat over en wees naar een pand aan de andere kant van de brug, schuin tegenover hen. 'Die bedoel ik.'

Terwijl ze in de richting van het bewuste pand liepen, vertelde Joan in het kort wat ze al had gelezen op de site. 'Het huis heeft zes kamers.'

'O, precies wat we wilden, toch?' reageerde Hanna.

'Nou, eigenlijk eentje te weinig. Want zes kamers betekent dat er vijf slaapkamers zijn en één huiskamer. Je moet er altijd eentje van aftrekken.'

'Weer wat geleerd.' Hanna begon het leuk te vinden. 'Maar met vijf grote slaapkamers kunnen we toch ook uit de voeten?'

'Ik denk het wel,' beaamde Joan. 'De slaapkamers zijn inderdaad behoorlijk groot. Niet zo groot als mijn kamer nu, maar het kan ermee door.'

'Gelukkig.' Hanna grijnsde. 'Stel je voor dat je niet al je kleren mee kunt nemen.'

'Ik laat gewoon inloopkasten bouwen in een van de andere kamers,' zei Joan. 'Kunnen we daar onze kleren opbergen.'

'Goed idee. Die drie broeken en vijf shirts van mij hebben dan lekker de ruimte.' Hanna schoot in de lach. 'Kom nou, Joan. We gaan toch geen kamer opofferen voor kleding? Hoe decadent kun je zijn?'

'Er zijn twee badkamers, drie toiletten, twee keukens – eentje op de onderste en eentje op de bovenste verdieping – en het dak is geschikt voor een dakterras. Er ligt al fundering.'

Hanna zei maar niets meer.

De hoge, bewerkte houten deur ging open en een man van rond de dertig ontving hen. 'Dag, ik ben Rob Tichelaar.'

'Joan van den Meulendijck,' zei Joan en ze schudde de man de hand. 'Dit is mijn zusje Hanna.'

Hanna volgde het voorbeeld van haar zus. 'Hanna Verduin,' zei ze.

De makelaar fronste zijn wenkbrauwen. 'Geen Van den Meulendijck?'

Hanna schudde haar hoofd. 'Nee, lang verhaal.'

Ze liepen naar binnen en Hanna verrekte bijna haar nekspieren toen ze naar het plafond keek. 'Wat hoog!'

'Zeven meter,' zei Rob. 'De hal is meestal onderdeel van de eerste verdieping. Dit huis stamt uit de zeventiende eeuw en is vorig jaar volledig gerenoveerd.'

Hanna keek bewonderend. 'Dat is te zien. Wat prachtig!'

Joan was naar de trap gelopen en veegde met haar vinger over de trapleuning. Afkeurend bekeek ze haar zwarte vingertop. 'Gerenoveerd... maar niet schoongemaakt.'

Hanna schaamde zich voor het hautaine gedrag van haar zus. 'Er woont toch niemand meer,' zei ze.

Rob schudde zijn hoofd. 'Nee, de familie is een halfjaar geleden naar Afrika verhuisd. Sindsdien staat het pand leeg. Als jullie mij willen volgen?'

Joan en Hanna volgden Rob naar de keuken. Hanna kon haar verbazing niet verbergen. 'Oooo, wat mooi! Het lijkt wel een balzaal. En kijk, twee gasfornuizen en een dubbele koelkast. Wat luxe.'

Het enthousiasme van Hanna sloeg niet over op Joan. 'Niet echt mijn kleur,' mompelde ze.

Hanna vloog langs de kasten en apparaten en keek haar ogen uit. 'Ze hebben zelfs een vleessnijmachine. Kunnen we onze eigen worst snijden.'

'Er is geen magnetron,' stelde Joan vast. 'Alleen een gasoven.'

Rob schudde zijn hoofd. 'Ja, de eigenaren waren uit principe tegen stralingsapparaten.'

Joan tuitte haar lippen, maar zei niets.

'Moet je kijken, Joan.' Hanna trok de voorraadkast open. 'Deze kast is nog groter dan mijn slaapkamer. Ik zou hier zo kunnen wonen.'

Joan schoot in de lach. 'Prima, scheelt weer een kamer.' Ze draaide zich om. 'Kunnen we de rest van het huis ook bekijken?'

De makelaar nam hen mee naar boven en Hanna werd steeds enthousiaster. De kamers, de badkamers, de tweede keuken boven... alles was helemaal naar haar wens. Joan liet minder blijken wat ze van het huis vond.

Op een gegeven moment werd Rob gebeld en hij excuseerde zich. 'Ik moet dit telefoontje even opnemen. Ben zo terug. Kijk gerust rond.'

Toen de deur achter hem dichtviel, greep Joan Hanna's arm beet. 'Kun je je nou niet een klein beetje inhouden?'

'Inhouden?' Hanna keek verbaasd. 'Ik mag toch wel zeggen dat ik het mooi vind?'

'Nee, dat mag je niet.' Joan keek geïrriteerd. 'Hou het zakelijk, ja!'

'Zakelijk?'

'Ja, blijf je nu alles herhalen wat ik zeg?' zei Joan. Ze keek op haar horloge. 'Als jij alles blijft bejubelen, krijgen we niets van die prijs af. Snap je dat dan niet?'

Het was heel even stil.

'Sorry,' stamelde Hanna. 'Tuurlijk, logisch. Ik snap het. Stom...'

'Hou gewoon even je mond nu,' viel Joan haar in de rede. 'Dat is het enige wat ik vraag.'

Op dat moment kwam Rob weer binnen. 'En? Bevalt het huis?'

'Het is een mooi huis,' zei Joan. 'Maar er zijn natuurlijk hier en daar dingen die we liever anders hadden gezien. Het blijft een twijfelgeval, toch Hanna?' Ze keek haar zus veelbetekenend aan.

'Eh... ja, twijfelgeval!'

'Zoals?' vroeg Rob en hij bleef Hanna strak aankijken.

'Nou...' Hanna keek om zich heen. 'De positie van de deuren bijvoorbeeld.' Ze voelde haar adem stokken. Wat zei ze nu weer? 'En verder heb ik het idee dat de ruimtes ten opzichte van elkaar niet in de juiste sfeer liggen.'

Rob fronste zijn wenkbrauwen. 'Sfeer?'

'Feng shui,' zei Hanna. 'Nooit van gehoord?'

Terwijl Hanna uitlegde wat feng shui inhield, probeerde Joan haar lachen in te houden.

'Ik denk toch dat we hier eens goed over na moeten denken,' besloot Hanna haar verhaal.

'Ja,' vulde Joan aan. 'Maar vriendelijk bedankt dat we mochten rondkijken. Ik zal mijn vader op de hoogte stellen en hij neemt, als dat nodig is, contact met u op.'

Ze zeiden de makelaar gedag en even later stonden ze weer buiten op de Prinsengracht.

'Zo goed?' vroeg Hanna met een grijns toen ze in de Leidsestraat liepen.

Joan schoot in de lach. 'Die kop van die man toen jij begon over die Feng dinges.'

'Feng shui,' vulde Hanna aan.

'Hoe verzin je het.'

'Het is niet verzonnen,' zei Hanna. 'Het bestaat echt.'

Joan stopte met lachen. 'Echt?'

'Ik wil het je wel uitleggen...'

'Nee, dank je. Ik heb liever een vers sapje.' Ze trok Hanna een sapbar in en bestelde twee verse fruitshakes.

'Over een halfuur kunnen we nog een pand bekijken,' ging Joan verder. 'Het staat aan de Herengracht, ter hoogte van de Dam. Vlak tegenover De Admiraal.'

Hanna knikte. Ze kende De Admiraal wel. Het was een proeflokaal waar je allerlei lekkere drankjes kon proeven en waar je ook kon eten. Ze hadden er een paar maanden geleden samen met Parrot, Tanja en Mike nog gegeten.

Joans mobiel ging. 'Met Joan.'

'Waar zit je?'

Joan herkende Tessa's stem meteen.

'In de stad.'

'Je hebt een aantekening gekregen,' ging Tessa verder. 'Ik heb nog mijn best gedaan voor je, maar mevrouw Joosten zei dat de maat nu vol was. Ze gaat je ouders bellen.'

Joan zuchtte. 'Ik ga wel even langs de dokter straks. Voel me opeens niet zo lekker.'

Tessa lachte. 'Je moet het zelf weten, maar ik zou me voorlopig gedeisd houden.'

'Ik kijk wel.'

'Zal ik straks langskomen?'

'Nee, ik ben hier nog wel even. Hanna is er ook. We zijn huizen aan het bekijken.'

'Gaaf, waar?'

'Prinsengracht, was niet zo bijzonder. We gaan zo naar een pand aan de Herengracht.'

'Mazzelmeid.'

Joan glimlachte. '*Thanks.*'

'Tot morgen.'

'Ja, misschien.'

De verbinding werd verbroken.

'Problemen?' Hanna keek bezorgd. 'Ben je ziek?'

'Eh? O, nee! Ging over school. Gezeik om niets. Ze geloven niet dat ik ziek ben.'

'Ben je ziek dan?'

'Nee, tuurlijk niet. Maar altijd als ik me ziek meld, trekken ze dat meteen in twijfel.'

'Terecht dus,' zei Hanna ongelovig. 'Zoiets zou ik niet durven.'

'Nee, dat weet ik. Maar ik moet wel. Als ik niets doe, zit ik van 's morgens vroeg tot 's avonds laat op school. Dat is toch kindermishandeling?'

Hanna grijnsde. 'Als je het zo ziet.'

Ze dronken hun sap op en liepen de Herengracht op.

'Heb je nog wat van Brent gehoord?' vroeg Hanna.

Joan knikte. 'Ja, gisteren nog.' Ze glimlachte. 'Hij belt regelmatig. Heel lief. En jij? Belt Joshua nog wel eens?'

'Nee. Dat wil ik ook niet.' Hanna was stellig.

'En Pieter en Jasper?'

Hanna haalde haar schouders op. 'Pieter houdt zich wel aan de afspraak, maar Jasper niet.' Ze vertelde over zijn telefoontje.

'Wat flauw,' riep Joan. 'En hij leek me zo aardig.'

'Hij is ook aardig,' verdedigde Hanna hem. 'Pieter is aardig, Joshua is aardig...' Ze boog haar hoofd. 'Ik denk dat ik voorlopig even mijn buik vol heb van aardige jongens.'

'Hmm, als ze lekker zijn,' zei Joan grijnzend, 'dan mogen ze van mij best aardig zijn.'

'Lekker... aardig... Ik heb geen flauw idee wat ik precies wil. Dus heb ik besloten om voorlopig even met geen van beiden iets af te spreken.'

'Saai.'

'Misschien, maar het is wel een stuk rustiger zo.'

'Besef jij eigenlijk wel hoe gek die jongens op je zijn? Jij bedriegt ze, houdt ze aan het lijntje en nog maken ze het niet uit en blijven ze braaf op je wachten.'

Hanna keek op. 'Ja, lief hè?'

'Lief?' Joan schudde haar hoofd. 'Ik noem dat dom. En ik kan je verzekeren dat ze niet eeuwig op je blijven wachten. Echt, Hanna... straks ben je ze allebei kwijt.'

Hanna beet op haar lip. 'Alsof ik dat niet weet.' Ze keek naar het huisnummer op de gevel naast hen. 'Is het nog ver?'

Ze staken de gracht over en moesten uitwijken voor een verhuiswagen die half op de stoep stond geparkeerd.

'Stel je voor dat we straks onze spullen verhuizen,' zei Joan en ze keek naar de lange katrollen die naar de bovenste verdieping gingen. Een stevige verhuizer trok net een houten kast door het open raam.

'Wel een gedoe trouwens,' mompelde Hanna die de kast schuin boven haar hoofd zag wiebelen. De verhuizer wenkte dat ze door moesten lopen. Snel liepen ze om de verhuiswagen heen.

'Daar is het!' Joan wees naar het uitstekende TE KOOP-bord op de eerste verdieping. Het portiektrappetje met de voordeur versmalde de stoep.

'Wat schattig,' riep Hanna. 'Over die trappetjes rende ik altijd als ik met mijn ouders in de stad liep. Ene kant op en de andere kant weer naar beneden. Zo kon je met mij alle grachten af.'

Joan glimlachte. 'Ik hou je niet tegen, hoor.'

Hanna aarzelde, maar kon zich toch niet inhouden. Met een luide lach rende ze het portiektrapje op en kwam er aan de andere kant weer af. 'En nu weer terug.'

Met eenzelfde vaart kwam ze weer terug. 'Geinig,' hijgde ze.

'Nou.'

Ze liepen samen de trap weer op.

'Is hier ook een makelaar aanwezig?' vroeg Hanna.

Joan keek op haar horloge. 'Ik heb rond deze tijd met hem afgesproken.' Ze belde aan. 'Misschien is hij binnen?'

Ze wachtten, maar er werd niet opengedaan. Joan raakte lichtelijk uit haar humeur. 'Lekker dan,' mopperde ze. 'Ik heb geen zin om hier in de kou te staan wachten, hoor!'

Ze deed een stap naar achteren en leunde met haar rug over het traphekje. Ze observeerde de bovenramen van het huis.

Hanna kwam naast haar staan. 'De buitenkant is gaaf. Niets mis mee. Vertel eens wat over het huis.'

'Zeven slaapkamers, drie badkamers, twee keukens, een tuin achter en –'

'Een tuin?' Hanna sloeg haar handen in elkaar. 'Dat is te gek! Kunnen we lekker zonnen.'

'Er is ook een dakterras,' ging Joan verder. 'Helemaal omheind.'

'Te gek. Ik vind het nu al een goede keus.'

'Op de site stond dat er ook een ingebouwde sauna en een jacuzzi waren en een fitnessruimte.'

'Een fitnessruimte?' Hanna viel van de ene verbazing in de andere. 'Je bedoelt met van die apparaten en zo?'

Joan knikte. 'Leek mij wel leuk.'

'Leuk? Leuk? Mens, het lijkt wel een droom. Weet je zeker dat je vader...' Ze stopte. 'Wat kost zo'n huis eigenlijk?'

'Hoef je niet te weten,' zei Joan. 'Je schiet toch alleen maar meer in de stress.'

'Zes nullen?'

'Zoiets.'

'Doe niet zo flauw.' Hanna gaf haar zus een por. 'Als ik het opzoek op internet, weet ik het ook.'

Joan boog opzij en fluisterde iets in Hanna's oor. Hanna's gezicht werd wit. 'Zo veel? Maar... dat...'

'Zie je nou wel,' zei Joan lachend. Op dat moment ging haar telefoon. Terwijl Hanna het pand minutieus observeerde, nam Joan op. 'Hi Brent!'

Hanna glimlachte. Ze had Joan nog nooit zo oprecht enthousiast gezien bij een telefoontje van een jongen. Die Brent moest wel heel leuk zijn. Hanna dacht terug aan hun bezoek aan Londen en hun logeerpartij bij Tanja en Parrot.

Joan had Brent ontmoet bij het castingbureau waar ze zich had laten inschrijven en volgens haar was hij te gek. Hanna had Brent kort ontmoet tijdens hun afscheidsdrankje op het vliegveld en Hanna moest toegeven dat hij totaal anders was dan alle andere vriendjes van Joan tot nu toe.

Eigenlijk was Brent een heel gewone jongen, zonder kapsones, overdreven geldsmijterij of verkeerde vrienden. En dat mocht een wonder heten, want Joan raakte meestal verslingerd aan dat soort foute jongens.

'Echt?' De stem van Joan klonk schril en Hanna zag haar zus op en neer huppelen van blijdschap. 'Wanneer? Vrijdag al... ja, leuk! Hoe laat land je?'

Joan legde haar hand op haar mobiel. 'Hij komt hierheen,' siste ze verheugd. Ze luisterde naar de stem aan de andere kant van de lijn. 'Oké, tien uur 's morgens. Zal ik je komen halen?'

Ze was even stil. 'Nee, nee, ik heb verder toch niets te doen.'

Hanna fronste haar wenkbrauwen. Joan had daarnet verteld dat ze vrijdag een proefwerk had voor Engels dat ze niet mocht verknallen.

Joan gaf een kus in haar mobiel en drukte hem uit. 'Brent komt vrijdag naar Amsterdam!'

'En jij gaat hem ophalen?'

'Ja, tuurlijk!'

'En je proefwerk dan?'

'*Crash*! Helemaal vergeten.' Joan beet op haar lip. 'Brent gaat voor,' besloot ze toen. 'Die hele school kan me toch gestolen worden. Wat heb je daaraan als je de filmwereld in wilt? Brent zei dat mijn casting bij *Pirates* nog liep en het zag er goed uit. Hij wilde ook nog wat andere mogelijkheden doorspreken met me. Goed hè? Als ik doorbreek, heb ik niets aan een havodiploma.'

'Maar je hebt al een waarschuwing zei Tessa.'

'Ik ben gewoon ziek,' ging Joan verder. 'Erg ziek. De komende twee weken kan ik echt niet naar school. Mijn vader schrijft wel een briefje naar de rector.'

'Jouw vader is zo gek?'

'Nee, maar dat weet de rector niet. Ik schrijf dat briefje zelf, op het briefpapier van mijn vader. Zijn handtekening kan ik heel perfect nadoen, hoor!'

Hanna schudde haar hoofd. 'Ik zou dat niet durven.'

'Nee, en dat is nu precies het verschil tussen jou en mij. Ik grijp mijn kansen en maak keuzes die daarvoor nodig zijn. Jij loopt achter de feiten aan en maakt dan pas keuzes... als het al te laat is.'

Hanna zweeg. 'Misschien,' zei ze toen. 'Maar ik zou me diepongelukkig voelen als ik zou liegen.'

'Ik lieg niet.' Joan grijnsde. 'Ik ben echt ziek van school.'

Tegen zo veel logica kon Hanna niet op. 'Soms ben ik wel jaloers op jouw radicale manier van leven,' bekende ze. 'Ik vind het al knap van mezelf dat ik tegen mijn ouders in ben gegaan over het op kamers wonen. Ze hebben het geaccepteerd, maar niet van harte. En dat voelt niet prettig. Het is net of ik me constant schuldig moet voelen, snap je?'

Joan haalde haar schouders op. 'Je hebt ze toch uitgelegd dat het geld geen probleem is?'

'Jawel,' verzuchtte Hanna. 'Maar het gaat ook om andere dingen.'

'Zoals?'

'Dingen die jij waarschijnlijk niet begrijpt. Het gaat ook om samen zijn en in de steek laten. Mijn ouders zijn niet boos, maar verdrietig en dat doet misschien nog wel het meeste pijn.'

Joan lachte. 'Wat is dat nu voor een onzin? Je laat niemand in de steek en met mij samen zijn is ook belangrijk. Laat ze lekker verdrietig zijn. Kinderen moet je een keer loslaten, dat weten alle ouders.'

'Weet ik wel.' Ze keek op. 'Jouw ouders hebben je in wezen al jaren geleden losgelaten. Je bent altijd alleen of met Hilke. Voor jou is het niet zo'n grote overgang. Jij ziet je ouders er niet minder om. Ik wel!' Ze wachtte even. 'Mijn moeder is niet zo sterk. Ze heeft best wat hulp nodig. Als ik bedenk wat ik thuis allemaal doe. Thijs en Kim –'

'...kunnen jouw taken overnemen,' viel Joan haar in de rede. 'Dat is niet meer dan normaal.' Ze legde haar hand op Hanna's schouder. 'Echt, je moet je daar niet zo druk om maken. Jouw ouders overleven jouw vertrek heus wel. En dat Thijs en Kim nu eens wat moeten doen in het huishouden is niet eens zo gek. Leren ze jou ook eens te waarderen.'

'Goedemiddag, dames.' Een mannenstem verstoorde hun onderonsje. 'Staan jullie al lang te wachten?'

4

Nu even niet

'*Bacon and eggs?*'

Tanja kwam de kamer in sloffen en schudde haar hoofd. '*Coffee, please.*'

Parrot concentreerde zich weer op de koekenpan voor hem. 'Was het gezellig gisteravond?'

'Ik geloof het wel,' mompelde Tanja. Ze keek op haar horloge en zag dat ze de hele ochtend had geslapen.

Heel even fronste Parrot zijn wenkbrauwen, maar hij zei niets. Tanja liet zich op de bank vallen en trok haar blote voeten op. Haar hoofd bonkte en haar lichaam voelde slap en raar aan.

'Kater?' Parrot keek met een schuin oog naar zijn dochter.

'Geen idee,' mompelde Tanja. 'Maar het voelt niet best.'

Parrot schonk een kop koffie in en bracht hem naar Tanja. 'Hier, drink op.'

Tanja was blij dat haar vader haar nu even met rust liet en geen eindeloze preek op haar losliet over het gevaar van alcohol. Dat had ze nu zelf ook wel door. Stom! Haar hele leven had ze geen druppel alcohol aangeraakt. Zelfs op de stiekeme feestjes in het weeshuis en op straat had ze zich altijd ver gehouden van mixjes en bier. De opmerkingen dat ze een watje was, had ze over zich heen laten gaan. De effecten van te veel alcohol had ze maar al te vaak gezien. Maar nu sloop het er dan toch in. Ze dacht dat ze wijs genoeg was om met de mensen in haar muziekwereldje mee te doen. Ze had zichzelf toch in de hand?

Niet dus! Ze kon zich niet veel meer herinneren van gisteravond en dat stak haar. Nu was ze net zo erg als al die andere types die zich bezatten en dan de gekste dingen uithaalden waar ze zich de volgende dag niets meer van konden herinneren.

Er was iets met licht... Tanja herinnerde zich een flits en het geschreeuw van Mike. Langzaam drong het tot haar door dat er waarschijnlijk foto's gemaakt waren van haar. Stelletje tuig. Kon ze dan niet één keer uitgaan zonder dat opdringerige fans haar lastigvielen?

'Danny...' fluisterde ze verschrikt.

'Wat zei je?' Parrot schoof een omelet op zijn bord.

'Nee, niets,' antwoordde Tanja. Ze stond op. 'Ik bedacht net dat ik iemand moest bellen.'

'O ja,' zei Parrot. 'Trouwens, Danny heeft gebeld. Of je terug wilde bellen.'

Tanja keek verbaasd. 'Heeft hij naar jou gebeld?'

'Ja, hij kreeg je niet te pakken en hij vroeg of ik de boodschap door wilde geven.'

'Wanneer was dat?'

Parrot dacht na. 'Vanochtend. Ik ben al een paar uurtjes op.'

'*Shoot*!' Tanja liep de kamer uit en ging naar haar kamer. Haar mobiel lag op het bureau... leeg! Vergeten op te laden. Geen wonder dat niemand haar kon bereiken.

Snel deed ze haar mobiel in de oplader die op haar nachtkastje lag en drukte de sneltoets naar Danny in. De draad van de oplader was voor haar net lang genoeg om op haar bed te gaan liggen.

'Danny?'

'Hoi.'

Tanja fronste haar wenkbrauwen. 'Is er iets?'

'Nee, hoezo?'

'Je klinkt boos.'

'Je hebt het vast druk.'

'Ik bel jou toch...' Tanja probeerde vriendelijk te blijven. 'Dan heb ik dus even tijd.'

'O, je hebt wel even?'

'Zo lang je wilt.' Tanja voelde zich niet op haar gemak. 'Stoor ik je soms?'

'Een beetje.' Danny's stem klonk gehaast. 'Wilde je wat zeggen of vragen?'

'Ik wilde gewoon even kletsen. Gisteren had ik het zo druk en nu dacht ik –'

'Kom, ik bel Danny,' viel Danny haar in de rede. 'Want zijn werkzaamheden kunnen wel even wachten als ik bel?'

'Nee, doe niet zo flauw. Dat dacht ik helemaal niet.'

'Ik heb nu geen tijd.'

'O... nou, dat kan. Sorry. Zal ik later terugbellen?'

'Ja, doe dat.'

Tanja hoorde een meisjesstem op de achtergrond. 'Ben je in de strandtent?' vroeg ze.

'Eh... ja, het is hier mooi weer en het loopt aardig vol. Ik moet nu ophangen. Daaag.'

Het meisje op de achtergrond giechelde en Tanja kreeg

opeens een heel naar gevoel. 'Maar...' begon ze, maar de verbinding werd verbroken.

'Nou moe.' Verbouwereerd gooide ze haar mobiel op haar bed. Wie was die griet op de achtergrond? En waarom deed Danny opeens zo gehaast? Ze pakte haar mobiel weer op en drukte op de herhaaltoets.

'Dit is de voicemail van –' Boos drukte ze Danny's stem weg. Ze had geen zin om tegen een apparaat te praten. Zonder na te denken drukte ze de sneltoets van Joan in. Ze moest even stoom afblazen.

'Hee, Tanja... *how are you?*' De stem van Joan klonk opgewekt.

'Stoor ik?'

'Altijd,' zei Joan lachend. 'Ik zit op een terras met Hanna. We hebben net twee huizen bekeken.'

Tanja probeerde geïnteresseerd te luisteren naar het enthousiaste verhaal van haar zus, maar de giechelende meisjesstem op de achtergrond bij Danny ging niet uit haar gedachten.

'Luister je wel?' Joans schrille stem deed haar opschrikken uit haar gedachten.

'Ja, tuurlijk. Jullie hebben een te gek huis gezien.' Tanja besloot zich te concentreren op het gesprek. 'Waar?'

'Herengracht, vlak achter de Dam. Echt een gigapand.'

'Ook een slaapkamer voor mij?'

'Wel twee,' antwoordde Joan. 'En Parrot en Mike en de complete band kunnen hier verblijven.'

Terwijl Joan en Hanna om de beurt van alles vertelden over het huis, pulkte Tanja aan haar nagel. Zenuwachtig trok ze een schilfertje weg en ze voelde haar nagelriem inscheuren. Snel stopte ze haar vinger in haar mond. Ze proefde de zoete smaak van bloed.

'Genoeg over ons,' zei Joan. 'Hoe is het daar? Wanneer starten de opnames voor je nieuwe clip?'

'Volgende week,' antwoordde Tanja en ze bekeek haar rode nagelriem.

'Heb je al een cast?'

Tanja vergat op slag haar nare gevoel en vertelde enthousiast over haar nieuwe clip en haar ontmoeting met Terry. 'Die Terry is echt precies wat we zochten,' besloot ze haar verhaal.

'Knap?'

'Superknap en grappig.'

'Klinkt goed. Leuker dan Danny?'

Tanja was even stil. Nu had ze meteen weer dat rotgevoel.

'Tan?'

'Danny doet moeilijk,' zei Tanja zacht. 'Ik weet het even niet met hem. Hij belt altijd net als ik druk bezig ben en als ik dan terugbel, heeft hij weer geen tijd.'

'Van Danny naar Terry... Scheelt maar een paar letters.'

'Doe niet zo flauw,' zei Tanja. 'Ik heb niks met Terry en ben dat ook niet van plan, hoor!' Ze verlegde het gesprek en vroeg naar Brent.

'Brent komt hierheen,' zei Joan. 'Kan ik hem Amsterdam laten zien.'

'En jullie nieuwe huis?'

'Misschien. Dat hangt af van mijn vader. Hij gaat hierover.'

'En Hanna? Hoe vindt die het?'

'Ik geef je Hanna zelf wel even,' zei Joan.

'Hi Tan, hier je andere zus weer. Wat hoor ik? Nieuwe lover?'

'Nee,' zei Tanja. 'Joan kletst uit haar nek. Het gaat alleen even wat stroef tussen Danny en mij. Druk, druk, druk...'

'Dus je komt voorlopig niet naar Amsterdam?'

'Nee, volgende week zijn de opnames van mijn nieuwe clip en dan moet ik de release doen en allerlei interviews en optredens. Ik duik echt een tijdje onder. Hoe gaat het met jou?'

'Gaat wel. Beetje mot met mijn ouders. Ze zijn niet echt *pleased* dat ik bij Joan ga wonen. Ze vinden me te jong en mijn school mag er niet onder lijden. Nou ja, van die on-zin. Op de een of andere manier voel ik me nog schuldig ook. Alsof ik ze in de steek laat.'

'Onzin. Je laat ze toch niet in de steek? Thijs en Kim zul-len hooguit wat harder moeten werken.' Tanja lachte. 'Heb-ben ze dat al in de gaten?'

'Nee, maar dat zal niet lang meer duren. Mijn moeder is nu al aan het bedenken hoe ze de taken opnieuw gaat verdelen in huis.'

'Pas maar op!'

Hanna lachte mee. 'Doe ik. Wil je Joan nog?'

'Nee, ik bel van de week nog wel een keer.'

'Zet 'm op!'

'Doe ik, *bye*!'

'*Bye*.'

Tanja legde het toestel op haar nachtkastje. Ze moest maar eens gaan douchen en zich aan gaan kleden. Om vier uur moest ze in de studio zijn. Heel even dacht ze jaloers terug aan haar saaie, rustige leventje in het weeshuis, waar ze dagenlang kon nietsdoen zonder dat het iemand stoor-de.

Hoe anders was het nu. Van minuut tot minuut was haar leven ingedeeld. Opnames, interviews, besprekingen, eten, slapen, optredens... Het was om gek van te worden, maar Tanja wist ook dat ze dit leven voor geen goud meer wilde missen. Het jachtige artiestenleven gaf haar energie voor tien en dat zorgde weer voor meer succes. Nee, voorlopig genoot ze volop van haar leventje als zangeres. Alleen jammer dat het slecht te combineren viel met een vriendje zoals Danny.

Hanna zette haar fiets in de schuur en liep over het grindpad naar de voordeur. Het was al laat in de middag en ze besefte dat ze haar moeder had beloofd om te strijken.

'Hoi mam, ik ben thuis.' Ze smeet haar tas onder de kapstok en trok haar jas uit.

Thijs stormde de trap af. 'Wil je straks even helpen met mijn wiskunde?' Zonder een antwoord af te wachten, rende hij door naar de kamer en even later klonken de harde klanken van een of andere muziekzender.

Hanna liep de keuken in. Haar moeder was net bezig met het inklappen van de strijkplank. Bram, haar kleine broertje, speelde met zijn autootjes op de grond.

'Heb je al gestreken?' vroeg Hanna en ze zag de berg gestreken hemden over de stoel hangen.

'Ja, het was al laat en papa moet straks naar de vergadering van de voetbalclub van Thijs.'

Hanna nam de strijkplank over en droeg die naar de gangkast. 'Sorry, het liep een beetje uit.'

'Geeft niet,' zei haar moeder. 'Kan ik meteen wennen aan het feit dat je er straks niet meer bent.'

Hanna liep terug naar de keuken. 'Kim en Thijs kunnen ook strijken, hoor.'

'Waren er leuke huizen bij?' vroeg haar moeder zonder te reageren op Hanna's opmerking.

51

'Hmm, ging wel. Eentje was echt te gek.' Ze voelde het enthousiasme opborrelen en vertelde over het pand aan de Herengracht. Haar moeder luisterde aandachtig.

'Joan gaat het nu overleggen met haar vader,' besloot Hanna haar verhaal. 'We zouden er meteen in kunnen.'

Kim kwam de keuken in gelopen en pakte een appel van de fruitschaal. 'Meteen?' Ze leek duidelijk geschrokken. 'Je gaat toch niet echt ergens anders wonen?'

Hanna glimlachte. 'Het is nog niet zeker. Joans vader moet alle zaken regelen, maar als het lukt, dan wil ik wel heel graag met Joan in een huis wonen.'

'Maar wij dan?' Kim was duidelijk aangeslagen. 'Wie helpt me dan met mijn huiswerk?'

'Als dat alles is,' antwoordde Hanna. 'We kunnen toch bellen?'

'Dat is niet hetzelfde,' mompelde Kim. 'Je laat ons gewoon in de steek.'

'Vind je ons niet lief?' vroeg Bram die al die tijd niets had gezegd, maar wel degelijk had geluisterd.

Hanna knielde bij hem neer. 'Tuurlijk vind ik je wel lief.'

'Maar je gaat weg.'

'Ik ga niet echt weg. Ik ga alleen maar een tijdje logeren bij Joan.'

Bram keek opgelucht. 'Hoor je dat, Kim? Hanna gaat helemaal niet weg. Ze gaat alleen maar logeren.'

'Neem je moeder in de maling,' riep Kim en voordat Hanna iets terug kon zeggen, was ze alweer verdwenen.

'Nou moe!' riep Hanna.

'Laat haar maar even,' zei haar moeder. 'We hebben het er allemaal moeilijk mee.'

Deze laatste opmerking schoot bij Hanna in het verkeerde keelgat. 'Wat is dit nou? Jullie doen net of ik ga emigreren, zeg! Ik blijf gewoon in Amsterdam wonen, hoor.'

'Ja.' Bram lachte. 'Hanna gaat logeren.'

Zijn moeder knikte. 'Ja, Bram. Hanna gaat logeren.' Ze draaide zich om en keek naar Hanna. 'Ik weet het, maar daarom mogen wij ons toch wel verdrietig voelen?'

'Hier kan ik echt niet tegen!' Hanna draaide zich om en liep de keuken uit. 'Denk ook eens aan mij, zeg! Ik ga huiswerk maken,' riep ze voordat ze de trap op stormde.

Even later zat ze gebogen over haar wiskundeboek, maar ze kon zich niet concentreren. De cijfers en grafieken dartelden door elkaar. Steeds gingen haar gedachten naar het huis dat ze samen met Joan had bekeken. Stel je voor... haar eigen suite.

Hanna keek om zich heen. Het kleine bureau en de oude kledingkast zouden verdwijnen in die zee van ruimte daar. En haar bed? Ze keek naar het houten kajuitbed achter haar en besefte dat dat totaal zou misstaan in die prachtige kamer op de tweede verdieping. Ze had het enthousiasme van Joan over de grote slaapkamer op de eerste verdieping niet willen bederven. Tenslotte was zij te gast bij Joan en trouwens... wat moest ze met zo'n joekel van een kamer? Ze had er niet eens meubels voor. Nee, de iets kleinere kamer op de tweede verdieping was groot genoeg voor haar.

Haar mobiel ging en ze zag dat het Shanon was.

'Hi Shan,' zei ze.

'Hoi, hoestie?'

'Gaat wel, snap jij wat van je wiskunde?'

'Niet echt, daarom bel ik ook. Je was vanmorgen na het laatste uur zo snel weg.'

Hanna slikte. 'Ja, eh... ik moest nog wat doen.'

'Je moeder helpen, zeker?'

'Ja, zoiets.'

'Ik vond het al zo gek, want meestal vergeet je de redactievergadering niet.'

Hanna schrok. Was de vergadering van de schoolkrantredactie vanmiddag? 'O, wat stom!' riep ze. 'Helemaal vergeten.'

'Ik heb je gedekt. Ik heb gezegd dat je naar de dokter moest.'

'*Thanks.*'

'Niets te danken. En je hebt een vier voor biologie.'

'Wat?' Hanna trok wit weg. 'Een vier? Hoe weet je dat?'

'Van Balen hing de cijfers op het prikbord toen jij al weg was.'

'Hoe kan dat nou? Een vier? Weet je het zeker?'

'Heel zeker. Jij haalt altijd goede cijfers, dus dit viel wel op.'

Hanna liet haar schouders hangen. Dat ze zich de laatste tijd niet goed kon concentreren op haar huiswerk wist ze, maar dat het zo slecht ging...

'Je had je Latijn ook al verknald,' zei Shanon. 'Is er iets wat ik moet weten?'

'Nee, hoezo?' Hanna probeerde haar stem zo neutraal mogelijk te laten klinken.

'Nou... ik weet niet. Je doet de laatste tijd zo anders.'

'Hoe anders?'

'Ja, weet ik veel... anders! Sinds je naar Londen bent geweest.'

Hanna dacht na. Shanon had gelijk. Sinds ze uit Londen terug was, was het een chaos in haar hoofd.

'Die Joshua heeft toch meer indruk op je gemaakt dan ik dacht,' zei Shanon lachend.

'Joshua was *fun*... meer niet,' mompelde Hanna. 'Ik heb

geen contact meer met hem. En Pieter en Jasper spreek ik ook voorlopig even niet.'

'Dus jongens zijn het probleem niet?'

'Nee.'

Het was even stil. Hanna staarde naar haar wiskundeboek. 'Ik mag deze toets morgen niet verknallen. Als ik ook nog een onvoldoende voor wiskunde sta...'

'Ik kom na het eten naar je toe, goed?' zei Shanon. 'Kunnen we samen naar de sommen staren.' Ze giechelde.

'Eh... vanavond kan even niet,' zei Hanna, die geen zin had om haar wiskunde-ellende te delen met Shanon. Shanon was veel slechter in wiskunde dan zij, dus echt zinvol was het niet om samen te werken vanavond. Ze besteedde haar tijd liever aan haar eigen leren. 'Ik moet nog wat dingen doen.'

'Zeker weer voor je moeder?'

'Eh... ja.' Hanna wist dat Shanon haar niet geloofde, maar ze had geen zin om een betere smoes te verzinnen.

'Geen wonder dat je slechte cijfers haalt,' ging Shanon verder. 'Je moeder vraagt veel te veel van je. Kunnen Thijs en Kim niet eens helpen? Ik krijg het idee dat jij daar het hele huishouden runt.'

'Mijn moeder is nu eenmaal niet zo sterk,' verdedigde Hanna zich.

'Je bent veel te lief,' zei Shanon. 'Ooit zul je toch een keer het huis uit gaan.'

Bijna had Hanna verteld van haar plannen om met Joan op kamers te gaan wonen, maar ze hield zich in. 'Dat zien we dan wel weer.'

'Nou, dan ga ik maar weer eens verder met die ellendige formule.'

'Ja, ik ook. Zet 'm op!'

'Doei!'

Hanna verbrak de verbinding. Een vier voor biologie... dat kon niet waar zijn. Wat was er toch aan de hand met haar? Waarom kon ze de dingen niet meer onthouden? En waarom voelde ze zo veel onrust in haar lijf? Ze klapte haar wiskundeboek dicht en zette de radio aan. Dit had geen zin. Heel even ontspannen, dan ging het straks vast beter.

Hanna rilde. Ze liep naar haar kast en pakte haar vest. Bij het aantrekken voelde ze iets in haar zak zitten. Met verbazing haalde ze er een plastic zakje uit, gevuld met pepermuntjes.

Het zakje was dichtgeknoopt. Hanna maakte het open en schrok: dit waren helemaal geen pepermuntjes. Joshua moest ze in haar vestzak gestopt hebben bij het afscheid. Tegelijkertijd realiseerde ze zich dat ze al die tijd met die pillen op het vliegveld had gelopen. Ze had wel opgepakt kunnen worden!

Voorzichtig liet ze de pilletjes op haar bureau rollen. Het zakje gooide ze in de prullenbak. Wat moest ze met die troep? In Londen had ze het effect ervan ervaren. In het begin had ze het niet eens doorgehad. Joshua had ze gewoon in haar drankje gegooid aan het begin van de avond. Ze had zich nog nooit zo ontspannen en blij gevoeld. Pas toen Tanja haar vertelde waar dat lekkere gevoel vandaan kwam, had ze begrepen wat er aan de hand was en was ze op hoge poten naar Joshua gegaan. Die ontkende niets. Hij vond het alleen maar spannend. Ze had Joshua duidelijk gemaakt dat ze niets met die troep te maken wilde hebben en nu flikte hij dit. Hoe durfde hij? Hanna rolde de pilletjes heen en weer. Wat moest ze ermee doen?

'Pap?' Joan zat op de barkruk in de keuken en hield haar mobiel tegen haar oor gedrukt. 'We zijn wezen kijken naar die twee panden en we –'

'Kun je straks even terugbellen, lieverd? Ik zit midden in een vergadering.' De stem van meneer Van den Meulendijck klonk gejaagd. 'Sorry.'

'O... ja, tuurlijk. Wanneer?'

'Eh... ik eet vanavond thuis, maar moet dan gelijk door naar een bespreking. Zeg jij Hilke even dat ik rond zeven uur een hapje wil eten?'

'Doe ik, maar –'

'Tot straks, liefje. Ik moet nu ophangen. Dag.'

Teleurgesteld legde Joan de telefoon op de bar.

'Geen tijd?' vroeg Hilke die de vaatwasmachine uitruimde.

'Nee.' Joan draaide met haar wijsvinger rondjes op het barblad. 'Hij wil om zeven uur eten.'

Hilke knikte en zette een stapel borden voor Joans neus. 'Wil je die even in de kast achter je zetten?'

Zonder tegensputteren deed Joan wat haar werd gevraagd. 'Straks zijn we te laat.'

'Welnee.' Hilke kwam naast haar staan. 'Huizen van die prijsklasse staan maandenlang te koop. Het zou wel heel toevallig zijn als het huis net in deze uren werd verkocht.'

'Maar er waren ook andere kijkers vandaag,' pruttelde Joan. 'Stel je nou voor dat die –'

'Wat drinken?' Hilke trok de koelkast open. 'Cola?'

Terwijl Hilke twee glazen cola vulde, vroeg ze belangstellend naar de huizen die Joan en Hanna hadden bekeken. 'Dus het huis op de Herengracht vonden jullie allebei mooi?'

'Ja.' Joan pakte haar glas aan. 'Het eerste huis was wat somber en moest hier en daar echt opgeknapt worden. Ik had er meteen een negatief gevoel bij. Hanna vond het prachtig, maar ja, die is ook niets gewend. Die vindt alles groter dan een badkamer al gigantisch.'

Hilke glimlachte. 'Je kunt een huis opknappen, toch? Het is juist leuk als je je eigen stempel kunt drukken op een huis.'

'Mij niet gezien,' riep Joan. 'Ik wil er zo in kunnen. Net zo makkelijk.'

'Dus dat tweede huis was beter?'

'Ja, dat was echt een paleisje. Werkelijk alles was in mijn smaak. De badkamers waren supermodern, met waskommen, bubbelbad, stoomcabine en overal dimlichtjes en spiegels.'

'Hmm, klinkt goed.'

Joan lachte. 'Het was fantastisch. Op de eerste verdieping was een enorme slaapkamer met openslaande deuren en een groot balkon dat uitkeek op de gracht. Ik zag mezelf al zitten op een mooie zomeravond en –'

'En Hanna? Vond die de kamer ook mooi?'

'Ik denk het wel! Zij vond de kamer op de tweede verdieping ook al zo mooi. Die was een stuk kleiner en had niet zo'n groot balkon, maar voor Hanna was het een verdubbeling in vergelijking met haar kamer thuis. Ik weet zeker dat ze daar al heel tevreden mee is.'

Hilke schudde haar hoofd. 'Je hebt alles al uitgedacht, hoor ik. Hopelijk is Hanna het met je eens.'

Terwijl Hilke de lege glazen opruimde pakte Joan haar mobiel en drukte de sneltoets van haar moeder in. 'Mam? Hoi, met mij. Waar ben je?'

'Dag meisje, ik zit bij Claire. We zijn naar de beautysalon geweest en drinken nog even een wijntje. Ben je thuis?'

'Ja. Moet je horen. Hanna en ik zijn vanmiddag de stad

in geweest. Die twee panden die ik had –'

'Sorry, liefje. Nu even niet. Claire laat me haar nieuwe *dress* zien. Zie ik je straks bij het eten?'

'Ja, goed. Papa komt ook. Zeven uur. Tot straks!' Joan drukte haar mobiel uit en staarde voor zich uit.

'Eet je moeder ook thuis?' vroeg Hilke.

Joan knikte en gleed van haar barkruk. 'Ik ga naar mijn kamer.'

Ze liep de keuken uit. Candy, haar kleine maltezer, huppelde vrolijk achter haar aan.

'Wil jij wel naar me luisteren?' vroeg Joan. Ze pakte Candy op en aaide haar. 'Kom maar hoor.'

Ze sloot haar kamerdeur achter zich en zette haar tv aan. De muziekzender knalde eruit.

5
Je moet me geloven

'We maken ons zorgen, Hanna.' Mevrouw Van Balen schraapte haar keel. 'Je resultaten zijn de laatste tijd niet echt geweldig.'

Het was vrijdagochtend. Hanna zat in de stoel tegenover haar mentrix en staarde naar haar knieën. Ze wist niet goed wat ze hierop moest zeggen. Mevrouw Van Balen had gewoon gelijk. Een vier voor biologie, een vijf voor wiskunde en haar Latijn had ze ook niet echt opgehaald.

'Hoe denk je dat dat komt?' probeerde mevrouw Van Balen met vriendelijke stem.

Hanna haalde haar schouders op. 'Ik weet het niet.'

'Er moet toch een reden zijn voor je slechte resultaten en je gedrag.'

'Gedrag?' Hanna keek op. Was er ook iets mis met haar gedrag?

'Ik krijg spijbelklachten van collega's, Hanna.' Mevrouw Van Balen zette haar bril af en pakte een lijst van haar bureau. 'Bij gym ben je drie keer niet verschenen de afgelopen maand.'

'Ik was ongesteld,' stamelde Hanna.

'Drie keer in een maand?' De stem van mevrouw Van Balen klonk niet meer zo begripvol.

'Nee, maar ik had ook hoofdpijn.'

'Hmm, hoofdpijn is een teken van stress. Is er iets veranderd in de thuissituatie?'

Hanna schudde haar hoofd. 'Nee, niet echt.' Ze sprak de waarheid. Het feit dat ze met Joan op kamers ging, was alleen nog maar een plan... geen concrete situatie.

'Vorige week heb je de redactievergadering gemist,' ging haar mentrix verder.

'Ja, die was ik vergeten. Ik weet ook niet hoe dat kon, maar het spijt me ontzettend.'

Mevrouw Van Balen legde de lijst neer en zette haar bril weer op. 'Als er iets is, moet je het vertellen. Je kunt me vertrouwen, Hanna. We willen je graag helpen. Je bent... pardon, je was een van onze beste leerlingen. Je maakt mij niet wijs dat er niets aan de hand is.'

Hanna zweeg. Ze had geen idee. Het leek wel of alles de laatste tijd misging. School, jongens, thuis... Ze had het gevoel dat iedereen haar claimde en dat ze niet toekwam aan haar eigen leven.

'Als je niets zegt, kan ik je ook niet helpen, Hanna!'

'Ik weet het niet!' Hanna's stem sloeg over. 'Ik weet het echt niet. Ik doe vreselijk mijn best, maar er gaat van alles mis.' Ze voelde haar ogen prikken en slikte. 'Echt, mevrouw Van Balen, u moet me geloven. Het lijkt wel of mijn hersenen niet meer willen. Ik leer en ik leer, maar er blijft niets hangen.'

Mevrouw Van Balen pakte een formulier uit haar la. 'Misschien moet je maar eens gaan praten met de studiecoach.'

Hanna zweeg. Ze wilde dit gesprek zo snel mogelijk beëindigen.

'Hier.'

Hanna pakte het briefje aan.

'Maak een afspraak met haar en hopelijk komen jullie er samen uit. Je begrijpt dat je rapport dit kwartaal niet best is.'

Hanna knikte en stond op. 'Ja, mevrouw.'

Mevrouw Van Balen begeleidde haar naar de deur van haar kantoor. 'Het lucht op als je erover praat,' zei ze zacht. 'Dag, Hanna.'

De deur ging achter haar dicht en Hanna haalde opgelucht adem. Wat een vreselijk mens!

'Wat was er nou?' Shanon en Josien kwamen op haar af.

'Niets,' zei Hanna en ze wilde naar haar kluisje lopen.

'Maak dat de kat wijs,' riep Shanon die haar de weg blokkeerde. 'Vertel op.'

Hanna had hier geen zin in. Er was al genoeg aan haar kop gezeurd. 'Hoepel op,' riep ze en ze duwde Shanon opzij. Snel liep ze naar haar kluisje en haalde haar spullen eruit. Ze wilde geen minuut langer meer op school blijven.

'Waar ga je naartoe?' Josien probeerde haar tegen te houden door haar arm te grijpen. 'We hebben nog drie uur.'

'Pech!' zei Hanna. 'Meld me maar ziek.'

Ze rukte zich los en liep naar buiten. Op dat moment klonk de schoolbel. Terwijl iedereen massaal naar binnen slenterde, worstelde Hanna zich tegen de stroom in naar de fietsenstalling. Ze keek op haar horloge. Het was pas elf uur. Als ze nu naar huis ging, zou haar moeder argwaan krijgen.

Ze haalde haar fiets van het slot. Terwijl ze de straat uit fietste, belde ze Joan op.

'Hoi met Joan. Ik ben er nu even niet, maar als je na de piep –'

Hanna drukte haar mobiel weer uit. Die stond natuurlijk nog op Schiphol of was al uitgebreid met Brent aan het shoppen. Wat nu?

Op dat moment ging haar mobiel. 'Met Hanna.'

'Hi, met Joan. Had je gebeld?'

'Ja, ik vroeg me af...' Ze wachtte even. Ze realiseerde zich dat Joan natuurlijk helemaal niet zat te wachten op haar gezelschap nu ze Brent had.

'Hanna? Ben je er nog?'

'Eh... ja. Is Brent er al?'

'Ja, we zitten nog op het vliegveld in een of andere koffietent. We gaan zo naar Amsterdam. Waarom belde je?'

'Niets, laat maar.'

'Ben je op school?'

'Nee, ik fiets over straat.'

'Vrij?'

'Niet echt. Ik...' Hanna kon zich niet langer inhouden en barstte in snikken uit. 'Alles gaat mis. Ik heb net op mijn kop gehad van mijn mentrix. Ik heb allemaal slechte cijfers en ik weet ook niet hoe dat komt. En thuis zeuren ze ook alleen maar. Ik durf niet naar huis nu. Ik weet het gewoon even niet meer.'

'Rustig even... rustig, Hanna.' Joans stem klonk streng.

Hanna haalde haar neus op. 'Sorry, ik wil jouw dag niet bederven. Ik bel een andere keer wel terug.'

'Niets daarvan, zus! Ik laat jou zo niet over straat fietsen. Luister, Brent en ik nemen een taxi. Over een halfuur zijn we bij De Admiraal, goed? Kunnen we hem meteen het huis laten zien.'

'Ja.' Hanna vond alles beter dan doelloos rondfietsen.

'Heb je nog wat gehoord van je vader?'

'Vertel ik je zo, goed?' Joans stem klonk bezorgd. 'Denk je dat je het redt?'

'Ja, *thanks*. Ik zie je zo.'

'Doe voorzichtig.'

'*Just a little bit closer, Tanja.*' De regisseur duwde Tanja's schouder naar achteren en keek tevreden. '*Don't move.*'

Flitslichten vulden de studio en Tanja voelde haar arm prikkelen. Urenlang was ze al bezig met deze fotoshoot en ze begon het zat te worden.

Ze liet Terry los en ging rechtop staan. '*I need a break,*' riep ze. Een kleine pauze kon er toch wel vanaf?

De regisseur keek op zijn horloge. '*Ten minutes.*'

Tanja liep naar de stoel waar haar flesje water stond. Ze depte haar voorhoofd met de handdoek die klaarlag en nam een paar slokken. Ze wist niet dat de voorbereidingen voor de release van haar nieuwe nummer zo zwaar waren.

De hele week hadden ze gefilmd op locatie voor de nieuwe clip. Van 's morgens vroeg tot 's avonds laat waren ze in de weer geweest. Sommige opnames moesten wel tien keer over. Tanja had haar geduld kunnen bewaren en ook Terry had zich heel professioneel opgesteld, maar nu liepen ze allebei op hun tandvlees.

'*Hold on,*' fluisterde Terry, die zijn eigen handdoek oppakte. '*We're almost done.*'

Tanja knikte. Ze was blij dat Terry zoveel ervaring had met films en fotoshoots. Ze had bewondering voor hem gekregen. Hij had haar door zijn professionaliteit meerdere keren behoed voor gestuntel. Het moeilijkste vond ze het kijken in de camera. Steeds als ze dacht dat ze goed zat, werd het cameraperspectief gewisseld en bleek ze in de verkeerde camera te kijken. '*Notice the red light*,' riep de regisseur als Tanja het rode lampje weer eens kwijt was.

Parrot kwam de studio in gelopen. 'Hoe gaat het?'

'We zijn bijna klaar,' hijgde Tanja. 'Hoop ik.'

Parrot gaf haar een zoen. 'Je bent een kanjer.'

'Dit moeten we niet elke maand doen.'

'Had je maar een beroep moeten leren.' Parrot grijnsde. 'Ik blijf nog even kijken, maar dan moet ik naar Southampton. Optreden voor een goed doel.'

Aan het eind van de middag waren ze klaar. De regisseur was tevreden, Mike was tevreden en Tanja en Terry waren kapot. Ze lagen languit op een van de zitkussens in de hoek van de studio. Tanja keek omhoog naar het plafond en voelde haar hart kloppen. Het zweet liep over haar voorhoofd. De laatste opname was heel intensief geweest. Ze had haar danspassen al weken geoefend, maar in het echt, met Terry erbij, was het toch anders. Zijn armen die haar optilden, haar gestrekte lichaam boven zijn hoofd en dan elegant weer neerkomen. Keer op keer hadden ze deze slotscène gedraaid, totdat Tanja er duizelig van werd. Ze vroeg zich af hoe het met Terry's spieren was na al die inspanning.

'*How are your muscles?*' Tanja strekte haar arm en kneep in Terry's bovenarm.

'*Fine*,' antwoordde Terry. Hij lachte. '*Carrying an elephant is not easy though.*'

Tanja trok een beledigd gezicht, maar haar ogen twinkelden. '*Oh, you...*' Ze draaide zich om en sprong boven op Terry. Ze pakte zijn bovenarmen vast en duwde die naar achteren. Hijgend keek ze hem aan. '*Now who is stronger?*'

Terry liet zijn bovenlip trillen en deed net of hij heel bang was. '*Please, please... let me go. You are so strong. Please?*'

65

Net op het moment dat Tanja zijn polsen los wilde laten, duwde Terry zich omhoog en trok haar naar voren. Ze kukelde over hem heen en samen rolden ze van het zitkussen af.

Dat een aantal mensen in de studio foto's van hen maakte met hun mobieltjes, merkte Tanja niet. Ze probeerde Terry de baas te blijven. Zo gemakkelijk liet ze zich niet kennen.

Ze probeerde de zwakke plek van Terry te vinden, maar steeds als ze dacht dat ze hem de baas was, ontsnapte hij weer met een grijns en dat maakte haar nog feller.

'*Come on*,' fluisterde Terry. '*Come on, little girl*.'

Tanja gromde. Ze besefte dat ze het met kracht niet ging redden. Behendig draaide ze zich van hem af en rolde achter hem. Haar hand schoof onder zijn oksel en ze kriebelde met haar vingers onder zijn arm.

Terry schoot omhoog alsof hij door een wesp was gestoken en begon vreselijk te gillen. '*No! Please, no tickling*!'

Tanja liet zich met haar volle gewicht op Terry vallen. 'Genade,' riep ze.

'*What?*'

Tanja grijnsde. '*That's Dutch for mercy*.'

Terry knikte. '*Kunnadu?*' probeerde hij het woord te herhalen.

Tanja ontspande en rolde naast Terry op de grond. Hijgend bleven ze naast elkaar liggen. Een paar flitslichten verblindden hun ogen.

'*Hey, don't!*' riep Tanja die nu doorhad dat er privéfoto's werden gemaakt van haar.

Terry kwam overeind. '*Drink?*'

'*Yes.*' Tanja ging staan.

Mike kwam naar hen toe. '*Well done!*' zei hij en zijn tevreden gezicht sprak boekdelen.

'Voorlopig geen nieuwe clip meer,' zei Tanja. 'Ik heb minstens een halfjaar nodig om bij te komen van deze week.'

'Stel je niet aan,' zei Mike lachend.

Ze liepen naar de bar van de studio en bestelden wat te drinken. Tanja was blij dat het achter de rug was. De vele optredens die de komende tijd gepland waren, vond ze niet zo zwaar als deze opnames. Zingen was haar leven, dat ging haar gemakkelijk af. Ze kon het hele jaar wel zingen, iedere dag, ieder uur. Maar acteren, dansen en voor de camera's staan was andere koek. Niet echt haar ding. Ze snapte niet dat Joan dat wilde... en ook kon.

'*Hey, Tanja...*' Een van de cameramensen kwam aangelopen en wapperde met een krant. '*You hit the headlines.*'

Tanja zette haar cola neer en pakte de krant aan. Voorpaginanieuws... zij?

De cameraman grijnsde. '*Partygirl, aye?*'

'Krijg nou wat!' Tanja staarde naar de grote foto. Ze zag zichzelf op een dansvloer staan in een soort bar-discotheek. Een jongen hing aan haar nek en zo te zien vermaakte ze zich uitstekend. Waar was dit? Ze kon zich helemaal niet herinneren dat ze ooit in zo'n tent was geweest. Ze bracht de krant dichter bij haar ogen. Herkende ze iemand op de achtergrond? In een flits zag ze Mike bij de bar staan. Mike! Hij was erbij geweest.

Ze draaide zich om en riep Mike, die aan de andere kant van de studio aan het praten was met een van de cameramensen. Ze zwaaide met de krant en gebaarde hem om snel te komen. Het bloed suisde in haar oren.

Terry bekeek de foto in de krant en glimlachte. '*That's you.*'

Het gezicht van Tanja stond strak. Mike kwam bij haar staan. 'Wat is er?'

Ze liet hem de krant zien. 'Herken jij dit?'

Mike keek en knikte. 'Yep, dat was in de bar. *Last week*.'

Tanja fronste haar wenkbrauwen. 'Vorige week?'

Mike lachte. '*You were drunk*.'

Terry, die het hele gesprek gehoord had, gaf Tanja een klap op haar schouder. '*Good girl*.'

'Niks *good girl*,' riep Tanja. 'Ik schaam me kapot. Moet je kijken hoe ik erbij sta, of liever gezegd, hoe ik erbij hang. Ik ken die jongen niet eens en zo te zien kust hij mij in mijn nek.'

'*That's life*,' zei Terry met een grijns. '*And I'm jealous, man*!'

'Doe effe normaal,' riep Tanja boos. 'Ik vind dit helemaal niet leuk.' Ze wendde zich tot Mike. 'Je moet een klacht indienen en een schadevergoeding eisen.'

'*Calm down*,' zei Mike en hij trok haar naar zich toe, zodat de anderen hen niet meer konden horen. 'Dat helpt niet. Jij was daar in een openbare ruimte. We weten niet eens wie de fotograaf was.'

'Maar ik wil niet als een zatlap in de krant staan. Wat moeten de mensen wel niet van me denken?'

'*What's a* "zatlap"?' vroeg Mike.

'*Someone who drinks too much*,' legde Tanja uit. 'En ik drink niet *too much*.' Ze begon van de zenuwen ook twee talen door elkaar te spreken. 'Het was maar één keer.'

Mike haalde zijn schouders op. '*Get used to it. You are a star now*.'

Maar Tanja wilde er niet aan wennen. Nooit! Een ster had toch ook recht op haar privacy? Kon ze dan overal zomaar gefotografeerd worden?

Op dat moment ging haar mobiel af in haar tas die op de bar lag. Blij dat ze even afgeleid was van deze beschamende toestand, nam ze op. 'Tanja.'

'Je vermaakt je prima, zie ik?'

Tanja verbleekte. 'Danny?' Ze liep weg van de drukte. 'Danny, ben jij het?'

'Ja, wie kan het anders zijn? Of heb je meer jongens die je bellen?'

'Nee, tuurlijk niet. Hoe kom je daar nu bij?'

Ze hadden elkaar na dat vreemde telefoontje van vorige week niet meer gesproken. Tanja had het te druk gehad met de opnames voor de clip en eerlijk gezegd was ze ook boos op Danny. Die giechelende meisjesstem op de achtergrond en zijn boze toontje nodigden niet echt uit tot terugbellen.

'Ik zie dat je het druk hebt?'

'Ja, we hebben de clip opgenomen. Terry en ik.'

'O, heet hij Terry?'

Tanja aarzelde. Wat bedoelde Danny daarmee? 'Ja, die acteur heet Terry. Hij is goed. We hebben keihard gewerkt.'

'Dat zie ik.'

Nu snapte Tanja het niet meer. 'Hoezo? Kun jij mij zien dan?'

Danny's stem sloeg over. 'Iedereen kan jou zien. De halve wereld heeft jou vanmorgen gezien... in de krant!'

Nu drong het tot Tanja door wat Danny bedoelde. Hij had de krant gezien met haar foto. Die afschuwelijke foto. 'Ik kan het je uitleggen,' begon ze, maar Danny liet haar niet uitpraten.

'Ik denk dat het beter is als we het nu officieel uitmaken,' zei hij. 'Dit heeft geen zin.'

Tanja voelde een enorme woede omhoogkomen. Wat een rotstreek! 'Dat moet jij nodig zeggen. Jij bent ook niet helemaal onschuldig, jochie! Toen ik jou belde, vermaakte je je prima met een ander meisje.'

'Doe niet zo raar, ik –'

'Laat me uitpraten!' schreeuwde Tanja. Alle frustratie van de afgelopen week kwam er nu uit, maar het kon haar niets schelen. Danny moest begrijpen dat hij haar niet zomaar kon dumpen. Wat dacht hij wel? 'Die meid was duidelijk niet een van jouw gasten. En je deed zo afstandelijk. Hoe denk je dat ik me de afgelopen week gevoeld heb?'

'Zo te zien goed,' zei Danny, maar zijn stem klonk milder. 'En ik heb helemaal niets met iemand anders.'

'En dat moet ik geloven?'

'Ja, maar jij daarentegen zet flink de bloemetjes buiten.'

'Ik heb ook met niemand iets!' riep Tanja.

'En dat moet ik geloven?'

'Ja, net zoals ik jou moet geloven.'

Het was even stil. Tanja veegde een traan uit haar ooghoek weg. Ze wilde nu niet gaan huilen. Dit was allemaal één groot misverstand. 'Ik wil niets liever dan bij jou zijn,' bekende ze. 'Echt, Danny, maar het is hier zo chaotisch. Ik word geleefd.'

'Blijkbaar vind je dat niet erg.'

'Wat moet ik dan?' Tanja snikte. 'Ik kan toch niet zomaar stoppen midden in een nieuwe release?'

'Nee, klaarblijkelijk niet.' Danny zuchtte hoorbaar. 'En daarom is het gewoon beter als het uit is. Jij hebt het veel te druk met je nieuwe leven en ik pas daar niet in.'

'Nee, nee... dat is niet waar. Ik hou van je.'

'Laat me even uitpraten.' Danny's stem klonk vastbesloten en Tanja zweeg.

'Misschien houden we wel te veel van elkaar.' Hij wachtte even. 'Ik hou ook van jou, maar ik wil bij je zijn, met je praten, lachen... samen leuke dingen doen.'

'Dat wil ik ook,' fluisterde Tanja.

'Dat weet ik. Maar het kan niet. Onze werelden liggen te ver uit elkaar. Letterlijk en figuurlijk. Ik heb mijn leven hier... in Frankrijk. Hier ben ik gelukkig. En jij bent daar gelukkig. Dat moeten we niet opgeven. Ik wil geen eisen stellen aan je. Ik zou het mezelf nooit vergeven als ik jou ongelukkig maakte.'

Tanja wist dat Danny gelijk had, maar ze wilde gewoon niet accepteren dat het uit was. 'Hoe moet het dan met mij? Omdat ik jou had, kon ik het hier aan.'

'Tan, ik hou van je, alleen verwacht ik niets meer van je en ga ik verder met mijn leven en jij met jouw leven.'

'Ben je niet boos?'

'Nee, niet boos, alleen net als jij verdrietig.'

Ze hoorde een snik in zijn stem. Zou hij nu ook huilen? 'Danny?'

'Ja?'

'Ik hou van je.'

'Ik hou ook van jou. Zorg goed voor jezelf. Dag.'

Terwijl de verbinding werd verbroken, stond Tanja roerloos in de hoek van de bar en staarde voor zich uit.

'Dag, Danny,' fluisterde ze, maar hij kon het niet meer horen.

6
Afscheid

Hanna duwde de deur open en stapte naar binnen. Op dit uur van de dag was het nog stil in De Admiraal. Joan en Brent waren er nog niet.

'Goedemiddag.' De man achter de bar begroette Hanna en ze knikte terug. Ze aarzelde. Moest ze vast gaan zitten of zou ze buiten wachten?

'Wil je iets drinken of een hapje eten?' De man keek haar vriendelijk aan.

'Eh... nee, ik wacht op iemand.' Ze ging op een barkruk zitten.

De man liep naar een tafeltje achterin, waar vier personen hun bestelling wilden laten opnemen. Hanna keek op haar horloge. Ze had extra langzaam gefietst. Waar bleven ze nou?

Haar gedachten schoten van links naar rechts. Het was nog nooit zo'n chaos in haar hoofd geweest.

Het gesprek met mevrouw Van Balen had haar compleet van slag gemaakt. Zelf wist ze al weken dat er iets aan de hand was met haar. Het leren ging niet meer, ze kon zich niet goed concentreren in de lessen en ook thuis had ze alleen maar ruzie met iedereen. Het leek wel of alle gezelligheid uit haar leven was verdwenen. Dat mevrouw Van Balen en de andere leerkrachten het nu ook merkten, vond ze heel erg. Het voelde als falen. Ze was toch altijd zo goed? Ze haalde altijd negens en tienen. Ze gaf altijd de juiste antwoorden, gedroeg zich voorbeeldig en had nooit met iemand ruzie.

Hanna blies lucht door haar neus, alsof ze zichzelf uitlachte. Hoe kwam het dat dat allemaal weg was? Sinds het weekend in Londen leek het wel alsof niets haar meer interesseerde. Pieter, Jasper, school, thuis... Het kon haar letterlijk gestolen worden. De enige die haar nog kon afleiden was Joan met haar gekke verhuisplannen. Of waren het juist de verhuisplannen die haar zo van slag maakten?

Hanna leunde met haar ellebogen op de bar en sloot haar ogen. Waarom voelde ze zich zo down? Vanaf het moment dat ze opstond tot het moment dat ze naar bed ging, leek er een donkere wolk om haar heen te zweven waar ze maar niet van afkwam. Zelfs de vrolijkste boodschappen kwamen somber over.

'Hee, zussie!'

Hanna keek op en zag Joan lachend op haar afkomen.

'Zit je er al lang?' Joan gaf Hanna een kus.

'Nee, hoor! Ik ben er net.' Hanna omarmde haar zus en hield haar even stevig vast. 'Dank je,' fluisterde ze.

Een paar seconden stonden ze roerloos.

Hanna liet haar zus los en begroette Brent die er wat verlegen bij stond. *'Hi, Brent. How are you?'*

Joan trok haar jas uit. 'Je kunt gerust Nederlands praten, hoor!'

Brent lachte en gaf Hanna een hand. 'Wel zo makkelijk.'

Hanna herinnerde zich dat Joan had verteld over Brents ouders. Een van beiden was Nederlands, de ander Engels. 'Oké dan. Hoe gaat het met je?'

'Goed.' Brent keek om zich heen. 'Leuke tent.' Hij knikte naar de tafels die van fusten waren gemaakt.

'Dan heb je het toilet nog niet gezien,' vertelde Joan. Ze wees naar het einde van de zaak. 'Daar naar rechts en dan gewoon het fust in stappen.'

Heel even fronste Brent zijn wenkbrauwen, maar toen besloot hij om Joans aanwijzingen op te volgen. 'Ik moet toch,' zei hij en hij liep naar achteren.

Joan pakte Hanna's hand. 'Wat is er nou met jou?'

Hanna slikte. Ze was net even afgeleid van haar overpeinzingen en nu voelde ze de pijn weer. 'Ik weet het niet. Alles gaat mis in mijn leven... tenminste, zo voelt het.'

Joan zag wel aan het gezicht van haar zus dat het ernstig was. 'Wat was er nou op school?'

'Ik ben op het matje geroepen,' legde Hanna uit en ze vertelde over haar gesprek met mevrouw Van Balen. 'Zelfs de leraren hebben het door,' besloot ze haar verhaal. 'Mijn cijfers worden slechter en de lessen interesseren me niet meer.'

'Maar je was altijd zo'n stuudje,' zei Joan. 'Je hield van leren en studeren.'

'Ja, maar op de een of andere manier is dat weg. Foetsie... verdwenen!' Hanna boog haar hoofd. 'Iedere avond ga ik naar bed met de wens dat het morgen beter wordt, maar het lijkt alleen maar slechter te gaan.'

'Kom op, niet zo somber.' Joan wreef over Hanna's rug. 'Je moet het jezelf ook niet aanpraten. Positief denken... kijk maar naar mij. Ik heb altijd geloofd in mezelf en nu

komen al mijn wensen uit. Een te gekke vriend, een carriè-
re als actrice...'

'Heb je die rol dan al?'

'Nee, maar dat komt wel. Ik geloof erin!'

'Ik wilde dat ik dat kon... geloven.' Hanna keek op. 'Weet
je, mijn klasgenootje Josien gelooft ook in van alles en nog
wat, maar vooral in God. We hebben haar daar wel eens
mee geplaagd, maar het lijkt wel of het haar niets doet. Ze
is zo positief en vrolijk... gewoon om jaloers op te worden.'

'Misschien moet je katholiek worden, of hervormd, of
islamiet.'

Hanna haalde haar schouders op. 'Heb ik allemaal al
overwogen. Ik ben zelfs een keer naar een voorlichtings-
middag van de Scientologykerk geweest. Maar het is allemaal niets voor mij.' Ze keek op. 'Het is net of er een beest
in mij zit, dat eruit wil. Iets donkers, iets negatiefs. Iets wat
alle positieve gedachten neerslaat.'

'Klinkt wel ernstig,' zei Joan die zich er niet goed raad
mee wist.

'Is het ook. Was er maar iets wat kon helpen.'

'Een leuke jongen,' riep Joan. 'Dat helpt altijd. Tenminste... bij mij.'

Hanna lachte. 'Ik heb er afgelopen jaar drie in mijn
schoot geworpen gekregen en ze zijn alle drie weer door de
achterdeur verdwenen.'

'Ja, omdat jij ze dumpte.'

'Ik wilde gewoon even rust. Een jongen is niet de oplossing.'

'Hmm, voor mij wel.' Ze keek naar Brent die aan kwam
lopen en gaf hem een luchtkusje.

'*By the way*, zeg even niets tegen Brent over het feit dat
ik nog op school zit.'

'Wat?' Hanna's mond viel open. 'Ben je nu al aan het liegen?'

'Niet liegen, gewoon een misverstand.' Ze keek naar Brent die steeds dichterbij kwam. 'Doe nou maar, ik leg het je later nog wel uit.'

'Wat leg je later nog wel uit?' vroeg Brent.

'O, niets... iets over school. Wist je dat Hanna op het gymnasium zit?'

Brent keek bewonderend. 'Zo, ben jij zo'n studiebol?'

Hanna glimlachte. 'Dat valt wel mee. Joan is...'

'Joan is knettergek op jou,' riep Joan en ze kuste Brent.

Hanna draaide zich om, zodat ze het verliefde stelletje niet meer zag. Ze realiseerde zich dat het misschien niet zo'n goed idee was geweest om Joan te bellen. Die zat niet te wachten op haar sores nu ze Brent had.

'Iets drinken?' Brent legde zijn arm om haar schouder en Hanna knikte. 'Doe maar een sjuutje.'

Terwijl Brent drie drankjes bestelde, gingen Joan en Hanna vast aan een tafeltje zitten.

'Hij is leuk, hè?' vroeg Joan.

Hanna knikte. Ze wilde de sfeer niet meer bederven. 'Heel leuk.'

'Hij weet niet dat ik nog op school zit.' Joan boog haar hoofd. 'Hij denkt dat ik in een tussenfase zit.'

'Een wat?'

'Gewoon, tussen twee opleidingen in. Ik heb hem gezegd dat ik de komende tijd alle tijd heb voor hem en toen maakte hij daar zelf van dat ik een opleiding zocht. Hij denkt dat ik mijn havo al heb afgemaakt. Echt, ik kon er niets aan doen.'

'Maar school...' begon Hanna.

'Ik heb me ziek gemeld.' Joan grijnsde. 'Dat was nog het makkelijkst.'

'Joan, je bent niet echt slim bezig. Je zegt net dat je verliefd bent.'

'Ja, juist daarom. Hij denkt nu dat ik volwassen ben.'

'Maar je liegt tegen hem.'

'Nee, ik lieg niet, ik heb alleen de waarheid niet verteld.'

'En je ouders en Hilke? Brent logeert bij jou. Die gaan zich vast verspreken.'

'Daar zorg ik wel voor,' zei Joan vastbesloten.

Hanna gaf het op. Tegen zo veel onzin kon ze niet op. 'Hoe lang blijft hij eigenlijk?' Ze wilde weten waar ze aan toe was. Zolang Brent er was, zou ze Joan niet storen. Kon ze zich ook niet verspreken.

'Twee weken.'

Hanna schrok.

'Wat is er?' Joan legde haar hand op die van Hanna. 'Je wordt opeens zo wit.'

'Beetje misselijk,' antwoordde Hanna.

Joans ogen werden groot. 'Je bent toch niet...'

Heel even keken ze elkaar aan. Hanna schudde haar hoofd. 'Nee, onmogelijk.'

Joan was nog niet helemaal tevreden. 'Echt niet?'

'Ja, hoor eens,' snauwde Hanna. 'Ik weet heus wel wat ik heb uitgespookt, hoor! En tot nu toe is alleen Maria zwanger geworden van de lucht.'

Ze zwegen toen Brent aanschoof. 'Stoor ik?'

'Nee hoor.' Joan pakte haar drankje op. 'Op ons nieuwe huis.'

Hanna glimlachte. 'Ja, op ons nieuwe huis.'

'Waar we vrolijkheid en plezier gaan beleven!' ging Joan verder en ze keek Hanna met een doordringende blik aan.

'Doen we.' Hanna lachte. Ze keek Brent aan. 'Heb je het al gezien?'

'Heel even,' zei hij. 'Net voor de deur. Ziet er mooi uit.'

'Papa is nu in onderhandeling met de eigenaar. Hij wil natuurlijk een mooie prijs.'

'Ik hoop dat het lukt,' zei Hanna die blij was dat het gesprek niet meer over haar ging.

'Tuurlijk lukt het,' riep Joan. 'Ik heb gezegd dat we dit huis wilden, dus hij regelt het maar.'

'En dat helpt?' zei Brent lachend.

'Ja, mijn vader doet alles wat ik vraag.'

'Zo'n vader wil ik ook wel.'

Joan haalde haar schouders op. 'Ik weet niet beter.'

'Hoor ik daar een sombere ondertoon?'

'Mijn vader is er nooit,' legde Joan uit. 'En als kind had ik al snel door dat hij dat goed wilde maken door mij alles te geven wat ik wilde.'

'En je moeder? Die stak daar toch wel een stokje voor?'

'Mijn moeder heeft het misschien nog wel drukker.' Ze wachtte even. 'Met zichzelf.'

'O...'

Joan nam een slok. 'Laten we het over iets vrolijkers hebben. Hoe is het in Londen?'

De hele weg naar huis had Hanna hoofdpijn. Het drukke stadsverkeer maakte het er niet echt beter op en ze was blij dat ze thuis was. Hopelijk had haar moeder niet door dat ze niet naar school was geweest. Ze had nu geen zin in vervelende vragen.

'Hoi, ik ben thuis!' Ze hield zich aan haar dagelijkse ritme, zodat haar moeder geen argwaan zou krijgen.

'Ik ben in de kamer.' Haar moeders stem klonk vrolijk.

Hanna stak haar hoofd om de hoek van de kamer. 'Ik ga snel naar boven. Maandag proefwerk.'

'Wil je niet eerst een kopje thee?'

'Nee, ik heb al wat water gedronken op school. Ik kom straks wel wat halen.'

'Ging het goed?'

'Hoezo?' Hanna was op haar hoede.

'Nou, gewoon... leuke dag gehad?'

'Ja, hoor!'

'O, Hanna...'

'Jahaa.' Hanna zuchtte. Wat nu weer?

'Er is post voor je. Op de gangkast.'

Hanna draaide zich om en zag de brief liggen. 'Bedankt!'

Ze pakte de brief op en herkende het handschrift.

'Heb je hem?' riep haar moeder.

'Ja, ik ga naar boven.'

Ze rende de trap op en sloot zichzelf op in haar kamer. De sleutel liet ze aan de binnenkant van de deur zitten. Terwijl ze op haar bed ging liggen, draaide ze de brief om en om in haar handen. Wat moest Jasper nu weer? Had hij nu kaartjes voor Hawaï, of een reisje naar de maan? Waarom sloofde die jongen zich zo uit voor haar? Dat was ze toch helemaal niet waard? Er waren veel leukere meisjes op de wereld die zijn acties wél waardeerden.

Heel even overwoog ze om de brief ongeopend weg te gooien, maar haar nieuwsgierigheid won het van haar boosheid. Met haar pink trok ze de hoek van de envelop open. Zo te zien was de hele brief met pen geschreven. Echt iets voor Jasper, bedacht ze.

Ze vouwde de brief open en begon te lezen.

Lieve Hanna,

Je hebt me enige tijd geleden gevraagd om je even met rust te laten. De ontmoeting met Pieter was nogal een schok voor mij. Ondanks dat we een goed gesprek hebben gehad, ben ik dagen van slag geweest. Ik dacht dat we elkaar begrepen, van elkaar hielden, maar blijkbaar was dat niet zo. In ieder geval niet bij jou.

De afgelopen tijd heb ik geprobeerd je te begrijpen. Je bent jong, jonger dan ik, maar onze interesses kwamen overeen. Ik voelde me altijd op mijn gemak bij je. En ik weet zeker dat je je ook zo voelde bij mij.
Door je ontmoeting met Pieter raakte je in de war, legde je mij uit. Pieter was totaal anders dan ik en je wist niet zo goed wat je met je gevoelens aan moest. Dat begreep ik... echt, ik gaf je alle ruimte, maar mijn geduld is niet oneindig. Bij ons laatste gesprek was je zo afstandelijk, zo boos.

Ik denk nu echt dat het beter is als we afscheid nemen. Ik krijg niet de indruk dat er nog hoop is en ik wil verder met mijn leven.
Afgelopen week heb ik iemand ontmoet die ik erg aardig vind en zij mij ook.

Misschien ben je wel opgelucht met dit afscheid, misschien niet. Maar ik kan niet langer wachten. Mijn gevoelens voor jou zijn onveranderd, maar ik laat jou en mezelf vrij. Misschien dat ik Pieter hiermee een dienst bewijs?

Ik wens je alle goeds in je leven,

Jasper

Hanna las de brief opnieuw en opnieuw. Dit was niet wat ze wilde... of wel? Had Jasper gelijk?

Langzaam verfrommelde ze de brief totdat er een propje papier in haar rechtervuist zat. Een propje Jasper... een propje liefde en heel veel plezier.

Hanna stond op en gooide het propje met een boog in haar prullenbak. 'Dag Jasper,' fluisterde ze.

Haar hele lichaam deed zeer. Echt zeer. Hanna sloeg haar armen om zichzelf heen en rilde. Ze keek naar het kistje op haar bureau. Ze had het kistje gekregen toen ze vijf werd. Sinds die tijd zaten er geheime dingen in. Briefjes van jongens, mooie haarspeldjes, muntjes... allemaal kindergeheimen.

Nu zat er een echt geheim in. Hanna aarzelde. Eén keertje kon toch geen kwaad? Ze zou zich rustiger voelen... prettiger. Ze moest dat proefwerk goed maken en met deze chaos in haar hoofd lukte dat echt niet.

Ze pakte de sleutel van het kistje uit haar bureaula. Eentje maar. Dan zou het beter gaan. Ze opende het kistje en pakte een van de pilletjes op. Snel sloot ze het kistje weer.

Zonder aarzeling stopte ze het pilletje in haar mond en slikte het door. Haar gezicht vertrok. Zonder water ging het niet zo makkelijk als ze dacht. Ze opende haar dropjespot en propte drie dropjes in haar mond.

Even later lag ze weer op bed en begroef haar gezicht in haar kussen. Ze kon zich niet langer inhouden en de tranen stroomden naar buiten. Haar vuist sloeg ritmisch op haar dekbed. 'Nee, nee, nee!'

Na een kwartier stopten de tranen vanzelf. Hanna lag op haar rug en voelde zich rustiger. Ze staarde naar het plafond. Ook al wilde ze huilen, het ging niet meer. Het was voorbij. Jasper was verleden tijd. Het was goed zo, ook al voelde het dubbel. De rust in haar lichaam was terug.

'Hanna?' De stem van Kim klonk gehaast. 'Hanna, ben je op je kamer?'

Er werd gemorreld aan de deur. 'Ik weet dat je er bent, Hanna!'

'Laat me met rust,' riep Hanna. 'Ik ben aan het leren.'

'Ik heb een brief van school. Zal ik hem dan maar aan mama geven?'

Hanna rukte de deur open. De stem van Kim beloofde niet veel goeds. Het slijmerige toontje beviel haar niet. 'Geef hier die brief!' Ze griste hem uit Kims hand.

Kim glimlachte. 'Hij lag in de brievenbus en ik dacht...'

'Ik weet precies wat jij dacht,' siste Hanna.

'Wat doe je pissig.'

'Ik ben ook pissig.' Hanna wilde de deur weer dicht-doen, maar Kim zette haar voet ertussen. 'Het gaat niet goed met jou, hè? Op school.'

'Bemoei je met je eigen zaken,' mompelde Hanna en ze knipperde met haar ogen.

'Wat kijk je raar.'

'Dag, Kim!'

Hanna duwde Kim naar achteren en wilde de deur dicht-doen.

'Ze zeggen dat je spijbelt.'

Hanna schrok. 'Wie?'

'O, gewoon... kinderen uit jouw klas. En een van de le-raren vroeg vanochtend waar je was. Was je niet op school?' Het sarcastische toontje maakte Hanna woedend. Kim was er altijd op uit om haar een hak te zetten. Deze keer zou dat niet lukken.

'Je houdt je mond, hoor je!' snauwde Hanna.

Kim keek heel onschuldig. 'Als ik niet weet waarover,

kan ik ook mijn mond niet houden.'

'Het is niets bijzonders.'

'Oké, dan kan ik het mama net zo goed vertellen. Misschien dat dat "niets bijzonders" ze ervan overtuigt dat je hier moet blijven wonen.'

'Jij, gemene –' Hanna wilde haar zusje grijpen, maar Kim deed een stap naar achteren. 'Mama! Hanna plaagt me!'

Voordat Hanna haar kon tegenhouden, was Kim de trap af gerend. Snel ritste Hanna de brief open. Haar ogen vlogen over het papier. Gelukkig. Het was alleen maar een uitnodiging voor een algemene ouderavond. Hanna stopte de brief terug in de envelop toen ze luide stemmen hoorde en haar moeder met Kim de trap op kwam.

'Ik kan me niet voorstellen dat Hanna zoiets doet, Kim. Maar we gaan het haar vragen.'

Hanna wilde haar deur dichtdoen, maar besefte dat dat geen zin had. Als haar moeder naar boven kwam om met haar te praten, kon ze daar niet onderuit. Ze bleef met over elkaar geslagen armen in haar deuropening staan. De brief van school had ze in haar achterzak gepropt.

'Kim zegt dat jij haar uitschold,' begon haar moeder die hier zichtbaar niet blij mee was.

'Kim zegt zoveel.' Hanna keek met een boze blik naar haar zus, die achter haar moeder stond.

'Jullie gaan me nu haarfijn uitleggen wat er aan de hand is,' ging haar moeder verder.

'Er is niets,' begon Hanna. 'Ik was mijn huiswerk aan het doen en toen kwam Kim mij storen voor iets onbenulligs.'

'Iets onbenulligs?' Kim stoof naar voren. 'Ik gaf je de brief van school.'

'Wat voor brief?' vroeg haar moeder.

Hanna haalde de brief uit haar achterzak. 'Deze brief. Kim had hem in de brievenbus gevonden en gaf hem aan mij.'

'En daar werd jij boos om?'

'Nee, ik werd boos, omdat ze mij...' Hanna stopte met praten. Ze kon niet meer helder denken. Er was iets. O ja, ze mocht iets niet zeggen.

Kim stond achter haar moeder en grijnsde. 'Hanna heeft vandaag gespijbeld van school.'

Het was even stil.

Hanna glimlachte. Die Kim, had ze het toch gezegd. Maar Kim wist niets van haar gesprek met mevrouw Van Balen.

'Ik was bij Joan in de stad,' zei Hanna. 'We moesten iets beslissen over het huis.'

Haar moeder fronste haar wenkbrauwen. 'En daarvoor spijbel je van school?'

'Eh... ja, het kon niet anders. En we hadden toch handvaardigheid. Ik miste niets, hoor.'

Haar moeder stak haar hand uit en Hanna gaf haar de brief. 'We hebben het hier vanavond wel over, met papa.' Ze draaide zich om naar Kim. 'En zonder nieuwsgierige aagjes.'

7
De sleutel

'Zijn je ouders er niet?' Brent hing zijn jas aan de kapstok en keek zijn ogen uit. 'Wat een gigahuis hebben jullie. Ik wist niet dat –'

'Mijn ouders komen straks,' viel Joan hem in de rede. Voor het eerst in haar leven wilde ze niet opscheppen over haar rijke leventje. 'Als we gaan eten. Hilke is er wel.' Ze schoof Brents koffer onder de kapstok. 'Die haalt Hilke straks wel op.'

Ze trok Brent mee de keuken in. 'Hilke, dit is Brent.'

Candy sprong enthousiast tegen Joan op, maar die reageerde niet op haar gekrabbel. 'In je mand, Candy,' riep ze.

Hilke gaf de verbouwereerde Brent een hand. 'Zo, dus jij bent de jongen die Joan het hoofd op hol brengt.'

Joan gaf Hilke een plagende por. 'Niet doen nou!'

Brent stelde zich netjes voor en ging op een van de barkrukken zitten.

'Wil je wat drinken?' vroeg Hilke en ze liep naar de koelkast. 'Ik heb net boodschappen gedaan.'

Terwijl Hilke drie glazen inschonk, vertelde Joan over hun middag. 'Eerst hebben we wat gedronken met Hanna in de stad en daarna –'

'Met Hanna?' Hilke fronste haar wenkbrauwen. 'Hadden jullie afgesproken dan?'

'Niet echt, maar ze belde op dat het niet zo lekker ging en toen hebben we wat gedronken samen. Brent vond dat niet erg, hoor! We hebben hem meteen het huis laten zien. Niet vanbinnen, maar...'

Hilke luisterde half naar het geratel van Joan en keek met een schuin oog naar Brent. 'Oké,' zei ze toen Joan stil was. 'Dat is aardig van jullie. En is Hanna nu weer naar huis?'

Brent knikte. 'Ik heb aangeboden om haar te brengen, maar ze was op de fiets.' Hij glimlachte. 'Gaat wat moeilijk met zijn drieën.'

'Hanna is thuis,' zei Joan. 'Ze belde net.' Haar gezicht betrok. 'Jasper heeft het uitgemaakt. Hij heeft haar een brief gestuurd.'

'Ah, dat is niet echt goed nieuws,' zei Hilke. 'Of wel?' Ze lachte. 'Met jullie meiden kan ik het soms niet volgen, hoor. Dat wisselt maar van vriendjes.'

'O?' Brent pakte Joan vast bij haar middel. 'Het hoeveelste vriendje ben ik?'

Joan gaf hem een kus op zijn neus. 'Jij bent vriendje nummer één.'

'Je gaat me toch niet vertellen dat ik de eerste ben?'

'Dat zeg ik niet,' plaagde Joan hem. 'De rest zit onder nul.'

'Ik heb de logeerkamer in orde gemaakt,' zei Hilke. 'Je vader had gevraagd of ik dat wilde doen.'

Er viel een stilte.

'Logeerkamer?' Joan keek naar Brent, maar die gaf haar een knipoog. 'Eh... ja, dank je.'

Ze dronk haar glas leeg en trok Brent van de kruk. 'Kom, ik zal je mijn kamer laten zien.'

Terwijl Joan hem aan zijn arm de keuken uit trok, bedankte Brent voor het drinken.

'Brents koffer staat onder de kapstok, Hilke,' riep Joan nog en even later duwde ze Brent haar kamer in en sloot de deur achter hen.

'Welkom in mijn kamer,' zei ze en ze zag dat Brent onder de indruk was.

'Leuke kamer,' stamelde hij. 'Mijn hele huis past erin.'

Joan lachte. 'Ach, het is maar een meisjeskamer. Straks, in mijn eigen huis, ga ik het veel volwassener aanpakken. Vrouwelijker.'

Brent glimlachte. 'O ja? Wat is het verschil tussen een meisjeskamer en een vrouwenkamer?' Hij pakte Joan vast.

'Weet je dat niet?' fluisterde Joan. 'Wat dacht je van het bed?'

Brent keek naar het eenpersoonsbed waarop de felroze dekbedovertrek de aandacht trok. 'Andere kleur?' probeerde hij.

'Nee, gekkie. Een tweepersoonsbed.'

'O.' Hij boog voorover en kuste Joan zacht op haar mond. 'Zo breed ben je toch niet?' fluisterde hij.

'Nee, maar ik wil jou graag naast me,' antwoordde Joan.

'O, wil jij dat?' Hij kuste haar weer en Joan voelde haar hart in haar keel kloppen.

'Ja,' zei ze. 'En ik krijg altijd mijn zin.'

Ze zoenden en Joan sloeg haar armen om zijn middel. Haar hand streek over zijn heupen. Brent was echt te gek.

Voor het eerst van haar leven was ze echt verliefd. Nu begreep ze wat Hanna bedoelde met 'de weg kwijt zijn'. Ze wilde haar hele leven zo verliefd blijven.

Brent liet haar los. 'Niet bij mij,' fluisterde hij. 'Ik geef je niet in alles je zin. Hou daar maar rekening mee. Ik hou niet van verwende meisjes.'

Joan draaide met haar heupen. 'Dus jij wilt de baas zijn? Ook goed!'

Ze wilde hem weer vastpakken, maar Brent hield haar tegen. 'Ik denk dat we rustig aan moeten doen, Joan.'

Joan fronste haar wenkbrauwen, maar zei niets.

'Je vader heeft niet voor niets de logeerkamer klaar laten maken,' ging Brent verder. 'Ik wil het niet meteen verpesten bij hem. Daarvoor ben jij me te kostbaar.'

'Mijn vader heeft hier niets over te zeggen,' zei Joan. 'Ik beslis zelf wel waar je slaapt.'

Brent draaide zich om en liep naar de openslaande deuren die op de tuin uitkeken. 'Ho, ho, ik bepaal nog altijd zelf waar ik slaap.'

Joan schrok van zijn strenge ondertoon. 'Ja, ja... dat bedoel ik ook. Mijn vader heeft daar niets over te zeggen.'

'Jij ook niet.'

'Nee, ik ook niet.' Ze liep naar Brent toe en vlijde zich tegen hem aan. 'Sorry, zo bedoelde ik het niet. Ik ben het niet zo gewend om bescheiden te zijn.' Ze lachte, maar haar lach verstomde toen ze merkte dat Brent niet meelachte.

'Ik meen het, Joan.'

'Oké, oké, als jij dat wilt.'

Brent pakte haar vast. 'Ja, dat wil ik. Hoe langzamer we dit doen, hoe spannender het is.'

'Hmm, misschien heb je gelijk,' fluisterde Joan en ze gleed met haar nagel langs zijn hals.

'Ik heb altijd gelijk,' zei Brent. 'Wen er maar aan.'

Hij duwde haar langzaam naar achteren, totdat ze de rand van haar bed in haar knieholtes voelde. Joan liet zich zakken en even later lagen ze op haar bed en leek de hele wereld te verdwijnen.

'Zo, dus jij komt hier een paar dagen logeren?' Meneer Van den Meulendijck gaf Brent een hand en liep door naar de gedekte tafel in de salon. Brent en Joan volgden.

Mevrouw Van den Meulendijck zat al aan tafel. Ze stond op en gaf Brent een hand. 'Eindelijk zien we je dan eens in het echt.' Ze bekeek hem goedkeurend van top tot teen. 'Je had ons niet verteld dat het zo'n knappe jongen was, Joan,' zei ze lachend.

Joan voelde zich niet op haar gemak bij haar moeders onderzoekende blik. 'Brent blijft twee weken, pap,' legde ze uit. 'Dat heb ik je toch verteld?'

'Ja, ja, dat is waar.'

Ze gingen aan tafel en Hilke diende de soep op.

'Eet Hilke niet mee?' fluisterde Brent in Joans oor.

'Nee, niet als we visite hebben.'

Brent leek een beetje gegeneerd, maar Joan stelde hem gerust. 'Ze vindt het prettiger om vooraf te eten. Wij eten altijd vrij laat en Hilke eet het liefst rond zes uur.'

'Zo, dus jij werkt bij een castingbureau?' Meneer Van den Meulendijck propte zijn servet tussen zijn boord.

'Eh, ja. Een van de beste.'

'Brent is mede-eigenaar, pap. Dat heb ik je ook verteld.'

Haar vader keek geamuseerd. 'Ga je mij nu de hele avond corrigeren? Dat weet ik allemaal heus wel, maar ik moet een gesprek toch ergens mee beginnen?'

Brent lachte. 'Ik snap dat het voor u ook vreemd is. Ik

overval u misschien met mijn logeerpartij, maar Joan had gezegd dat ik niet in een hotel hoefde en dat u –'

'Het is al goed, jongen. Zolang jullie je gedragen.'

'Wat is dat nu weer voor een opmerking,' brieste Joan. Ze smeet haar vork op tafel. 'Kunnen jullie nou niet voor één keer normaal doen?'

Brent voelde zich duidelijk opgelaten. 'Het is al goed, Joan. Ik begrijp je vader wel.'

'Mooi!' zei meneer Van den Meulendijck. 'Eet smakelijk.'

Zwijgend aten ze hun soep op. Joan schaamde zich dood. Zaten ze een keer met zijn allen aan tafel, was het net een begrafenis.

Na een paar minuten haalde Hilke de soepborden weg en zette ze het hoofdgerecht op tafel.

'Mmm, lasagne,' riep Joans moeder. 'Toch wel zonder gehakt, met groente en zonder room en pasta?'

Hilke glimlachte en zette een kleinere portie lasagne in een apart schaaltje op tafel. 'Dit is voor u, mevrouw.'

'O, voor ik het vergeet...' Meneer Van den Meulendijck schonk zichzelf nog een glas wijn in. 'Het huis is rond, liefje.'

Joan veerde op. 'Echt? O...' Ze sprong op en omhelsde haar vader. 'Wat geweldig!'

'Jullie kunnen er dit weekend al in. Hier is de sleutel.' Hij overhandigde Joan een ouderwetse sleutel. 'Ik zou er maar meteen een nieuw slot op zetten, want dit is uit het jaar nul.'

'Morgen al?' Joan stond perplex. 'Hoe heb je dat zo snel geregeld?'

'Je weet toch dat je vader kan toveren.'

Joan liep terug naar haar stoel en sloeg haar arm om

Brent heen. De sleutel stopte ze in haar zak. 'Kun je het morgen meteen vanbinnen zien.' Ze wendde zich weer tot haar vader. 'De muren moeten nog wel een ander kleurtje hebben en...'

Meneer Van den Meulendijck glimlachte. 'Dat regel je maar lekker zelf. Ik heb mijn best gedaan, nu ben jij aan de beurt.'

'Ik kan wel meehelpen,' zei Brent. 'Verven is mijn specialiteit.'

Joan lachte en keek naar haar moeder. 'Mam, jij hebt gevoel voor kleur. Help je ook mee?'

Haar moeder schudde haar hoofd. 'Komende week zit ik in Cannes. Filmfestival met Claire.'

'O... nou, dan niet.'

Brent beurde haar op. 'Hanna helpt toch mee?'

'Hanna!' Joan pakte haar mobiel uit haar zak en toetste Hanna's nummer in. 'Hanna?' Joan draaide zich van de tafel weg. 'Het huis is rond! Ja... echt! We mogen er morgen al in. Papa heeft de sleutel en –'

Ze luisterde. 'Oké, bel straks maar even terug.'

Joan drukte de telefoon uit. 'Ze zaten te eten.'

'Wij ook,' mompelde haar moeder.

'Sorry hoor, maar ik ben ook zo blij.' Ze schepte een portie lasagne op uit de grote schaal.

'Zou je dat nou wel doen, Joan?' zei haar moeder.

Joan keek naar de aparte, kleinere schaal met de magere lasagne. 'Voor één keertje,' riep ze. 'Het is feest!'

'Als je straks op jezelf woont, moet je niet vaker in de fout gaan,' vervolgde haar moeder. 'De meeste jongelui die op zichzelf gaan wonen, komen kilo's aan.'

Brent had al die tijd niets gezegd.

'Zeg jij er eens wat van,' ging Joans moeder verder. 'Jij

hebt een castingbureau. Maak jij Joan nu eens duidelijk dat de filmwereld echt niet zit te wachten op maatje veertig. Ze moet echt uitkijken, hoor.' Ze streek met haar handen langs haar taille. 'Zo'n figuurtje krijg je echt niet van dooreten. Daar heb ik mijn hele leven voor moeten knokken.'

Brent verslikte zich en begon te hoesten. Joan klopte op zijn rug terwijl ze een boze blik naar haar moeder wierp, maar zo te zien kwam de boodschap niet echt over.

'Joan vertelde dat ze misschien een rolletje krijgt in de nieuwe *Pirates*-film.'

Brent, die zich ondertussen weer hervonden had, knikte. 'Ja, mevrouw. Haar casting is goed verlopen. Binnenkort horen we meer.'

'Wat denk je... zit er ook nog een rolletje voor mij in?'

'Mam!' Joan schaamde zich rot.

'Grapje,' riep haar moeder. 'Ik heb het toch veel te druk.'

De rest van de maaltijd verliep zonder vreemde incidenten en Joan was blij dat ze een uur later op haar kamer zat met Brent.

'Excuses voor het gedrag van mijn ouders,' zei ze toen ze het vermoeide gezicht van Brent zag. 'Normaal gesproken –'

'Zijn ze niet zo?' viel Brent haar in de rede.

'Eh... normaal gesproken zijn ze er niet allebei, wilde ik zeggen. Ik eet meestal met Hilke.'

Brent gaf haar een kus. 'Nu weet ik waarom je zo bent.'
'Hoe?'

'Nou... zo!' Hij wees naar Joan en lachte. 'En je bent duidelijk niet hun echte dochter.'

'O? Is dat een compliment of niet?'

'Voor mij wel.' Brent pakte haar vast. 'Je bent een verwend kreng, maar jouw hart zit op de goede plek. Jij geeft om anderen, dat voel ik en dat merk ik. Zoals jij vanmiddag Hanna opving, je leefde echt met haar mee.'

'Ja, omdat ik van haar hou,' zei Joan. 'Dan doe je zoiets.'

'Juist. Je ouders houden vast ook van jou, maar toch zijn ze alleen maar met zichzelf bezig.'

Joan schudde haar hoofd. 'Dat is niet waar. Niet altijd.'

'Weet ik,' zei Brent. 'Alleen als het hun uitkomt.'

Joan schrok van Brents directheid. Haar eerste reactie was boosheid. Waar bemoeide hij zich mee? Hij kende haar ouders amper. Maar ze hield zich in. Waarom zei Brent dit soort dingen? Was het zo duidelijk? Waren haar ouders echt alleen met zichzelf bezig? Maar ze had toch alles wat haar hartje begeerde? En haar vader had net een nieuw huis voor haar gekocht. Ieder kind wenste zulke ouders. Of niet?

'Besef je wel hoe blij je bent dat je het huis uit gaat?' ging Brent verder. 'Je hebt het over niets anders.'

'Ja, ik ben ook blij.'

'Blij om het huis uit te gaan of blij dat je een nieuw huis krijgt?'

'Is daar een verschil in, dan?'

Brent zuchtte. 'Jouw blijheid komt op mij vreemd over. Alsof je zo snel mogelijk weg wilt.'

'Wil ik ook.'

'Ja, maar ik vond het bijvoorbeeld helemaal niet zo top om weg te gaan bij mijn ouders. Ergens diep vanbinnen wist ik dat ik mijn ouders vreselijk ging missen en ik twijfelde wekenlang of ik het wel moest doen. Die twijfel zie ik bij jou helemaal niet.'

'Nee,' gaf Joan toe. 'Dat is zo. Maar hoe kan ik ze nou missen, als ik ze toch al bijna nooit zie?' Ze besefte dat Brent gelijk had. Ze was blij met haar nieuwe huis, maar nog blijer was ze dat ze weg kon. 'Ik vind het fijn om met

Hanna in één huis te wonen. Ze is anders, maar toch vertrouwd. Met haar kan ik lol trappen. Ze begrijpt me en accepteert me zoals ik ben. We hebben samen een geschiedenis, weet je.'

'Ik begrijp het, liefje,' fluisterde Brent. 'En daarom zeg ik het ook. Denk goed na wie je wilt zijn.'

Joan grijnsde. 'Hmm, dat weet ik wel.' Ze kuste hem. 'Ik wil jouw grote liefde zijn.'

8
Een goed gesprek

Na het eten werden Kim en Thijs naar hun kamer gestuurd. Hanna bleef met haar ouders in de huiskamer. Ze voelde zich wat loom, maar wel prettig. De heftige emoties waren verdwenen. Ze voelde zich kalm en rustig.

'Wil je thee?' Mevrouw Verduin kwam met een volle theepot en drie glazen aangelopen.

'Ja, lekker.' Hanna wist niet goed hoe ze zich nu moest gedragen. Ging dit gesprek over haar school, of over de verhuisplannen? Of was er een totaal nieuw gespreksonderwerp ontstaan door het geruzie met Kim en Thijs?

'Zo,' zei haar vader terwijl hij een schepje suiker in zijn thee deed. 'Dus het huis is rond.' Hij keek Hanna vragend aan.

Ze wist dat ze nu iets moest vertellen. Haar vader was geen grote prater. Enkele woorden waren genoeg om een gesprek te starten.

'Ja,' antwoordde Hanna. 'Joan belde net dat haar vader het pand aan de Herengracht heeft gekocht. Ze heeft de sleutel al en we willen morgen gaan kijken. Gaan jullie mee?'

Het was even stil in de huiskamer. Mevrouw Verduin keek haar man met een veelbetekenende blik aan.

Hanna kreeg opeens een onrustig gevoel. 'Het... het gaat toch wel door? Ik bedoel, het mag toch wel?'

'Het is geen kwestie van mogen,' zei haar moeder. 'We kunnen en willen je niet tegenhouden, maar verstandig vinden we het niet.'

'Maar waarom niet?' Hanna's stem sloeg over. Deze hele discussie hadden ze al een keer gevoerd.

'Dat weet je,' sprak haar vader.

'Ja, dat weet ik,' riep Hanna. 'Maar jullie hadden gezegd dat het goed was als ik het per se wilde. Deze hele discussie is een gepasseerd station! Ik dacht dat jullie blij zouden zijn voor me. Dat dit gesprek ging over ons, over mijn jeugd, over... ach, weet ik veel.' Ze pakte haar glas op en blies de stoom voor zich uit. Ze had hier helemaal geen zin in.

'Wat reageer je fel,' zei haar moeder en ze keek Hanna onderzoekend aan. 'Zo ken ik je helemaal niet.'

'Ik reageer helemaal niet fel!' zei Hanna boos. 'En misschien ken je mij inderdaad niet.'

'Hanna, je hebt gespijbeld,' begon haar moeder. 'En je geeft zelf toe dat je cijfers niet best zijn. Als je zo van slag raakt door deze verhuizing, dan vrees ik dat het straks alleen maar erger wordt. Hier wordt er op je gelet, hier helpen we je met alles.'

'Nou, tjonge, wat helpen jullie.' Hanna kon zich niet langer inhouden. 'Sorry hoor, maar ik ben hier degene die iedereen helpt. Kim met haar huiswerk, Thijs met zijn huiswerk, Bram met knutselen en spelen en jou bij het huishouden. Wie helpt mij nou eigenlijk? En met wat? Ik heb geen idee.'

Hanna was niet meer te stoppen. 'En dat er op me gelet wordt, weet ik ook. Kim houdt me constant in de gaten om ieder wissewasje aan jullie door te briefen, zodat ik weer op mijn kop krijg. Ik voel me hier verdorie net Assepoester. Daar heb ik echt geen trek meer in.' Ze keek haar ouders om de beurt aan.

Haar vader en moeder zwegen. Hanna wist dat ze nare dingen had gezegd, maar het was wel de waarheid. Het werd tijd dat haar ouders dit eens hoorden. Ze was niet meer het lieve, brave meisje dat onopvallend voor iedereen klaarstond en dat alles maar pikte.

'Nou? Zeggen jullie nog wat?'

'Ik wist niet dat je het zo voelde,' zei haar moeder zacht en Hanna zag dat haar ogen vochtig werden. 'Waarom heb je dat niet eerder gezegd?'

Het huilen stond Hanna nader dan het lachen. 'Het spijt me, mam... zo bedoelde ik het niet.'

'Nee, maar zo voel je het wel,' zei haar vader. 'En ik vind het jammer dat je ons niet genoeg vertrouwde om dit al veel eerder aan te kaarten.' Hij beet op zijn lip. 'Assepoester...'

Hanna wilde dat ze het terug kon draaien. Zo erg was het nou ook weer niet. 'Het was maar een voorbeeld.'

Haar vaders ogen schoten vuur. 'Maar een voorbeeld? Assepoester was een stiefdochter. Jij bent door ons geadopteerd. Assepoester moest alle vervelende klusjes opknappen. Jij zegt dat je dat hier in huis ook doet. Assepoester vluchtte het huis uit in een pompoen. Jij wilt ook verhuizen. Hoeveel overeenkomsten wil je horen? Weet je hoe ik me nu voel?' Hij sloeg met zijn vuist op tafel. 'Als de boze heks!'

Mevrouw Verduin nam het voor haar man op. 'Dus je vertrouwt ons niet?'

'Ik vertrouw jullie wel,' riep Hanna. 'En ik hou ook van jullie, maar het wordt me gewoon te veel. Ik voel dat ik veranderd ben. Ik voel me opgesloten in... in...' Ze zuchtte. 'Ach, laat maar.'

'Nee, niets laat maar,' zei haar vader. 'Ik vind het heel erg, vooral voor je moeder, dat je zo over ons denkt. We hebben jou als onze eigen dochter opgevoed, we houden net zo veel van jou als van onze andere kinderen. En het doet zeer als je dat in twijfel trekt.'

'Dat trek ik niet in twijfel.' Hanna snikte. 'Jullie luisteren niet. Het gaat niet om jullie. Snap dat dan! Het gaat om mij! Ik ben veranderd. Niet jullie. Ik wil hier weg, ja, maar niet om jullie. Ik heb ruimte nodig voor mezelf. Ik wil nadenken, voelen wie ik ben. Ik ben in de war, ja! En ik weet niet waarom.' Hanna kon niet meer stoppen. 'Ik heb het gevoel dat mijn leven één grote puinhoop is. School, vrienden, thuis, mijn hobby's... niets interesseert me meer. Dat is toch raar? Het voelt in ieder geval klote.'

'Hanna!'

'Sorry, mam. Het voelt rot.'

Hanna's hart klopte in haar keel. Met haar verwarde gepraat maakte ze het alleen maar erger. Hoe kon ze nu uitleggen hoe ze zich voelde als ze het zelf niet eens wist?

Mevrouw Verduin pakte haar hand. 'Luister, liefje. We maken ons zorgen.'

'En terecht!' flapte Hanna eruit. 'Ik maak me ook zorgen.'

'Over jou,' vulde haar vader aan.

'Weet ik.' Hanna boog haar hoofd. 'Dan zijn we het over één ding tenminste eens: we maken ons zorgen om mij.'

Haar moeder glimlachte. 'Je gevoel voor humor is er nog.'

'Dat is dan nog het enige,' mompelde Hanna.

Haar vader roerde gedachteloos in zijn thee. Het vocht klotste over de rand, maar hij merkte het niet. 'Het is allemaal gekomen door die Parrot,' fluisterde hij meer tegen zichzelf dan tegen Hanna en zijn vrouw.

Hanna keek op. 'Dat is gemeen! Wat kan Parrot er nu aan doen dat ik me zo k–' Ze slikte het woord nog net op tijd in. '...zo rot voel,' maakte ze haar zin af.

'Sinds je met je zussen en je...' Meneer Verduin slikte. '...je echte vader omgaat, ben je veranderd. Je moeder en ik vinden het fijn dat je er een nieuwe familie bij hebt, maar we merken ook dat je feller bent geworden. Meer in jezelf gekeerd. We missen je spontaniteit, je lach, je vrolijke, open snoetje. Hanna, wat is er toch met je?'

'Ik weet het niet,' fluisterde Hanna. 'Ik weet het echt niet.' Ze keek op. 'Jasper heeft het uitgemaakt.'

Haar moeder schrok. 'Die brief?'

Hanna knikte. 'Hij wil niet langer aan het lijntje gehouden worden. En hij heeft gelijk. Ook tegen hem ben ik niet aardig. En Shanon heeft het ook met me gehad... en Josien... en mevrouw Van Balen.' Ze kon haar tranen niet langer tegenhouden. Het was alsof alles eruit moest.

'Mevrouw Van Balen?' Haar moeder fronste haar wenkbrauwen. 'Je mentrix?'

'Ja, ze maakt zich ook zorgen. Iedereen maakt zich zorgen om mij. Wat ben ik voor een misbaksel?'

Ze voelde de armen van haar vader en moeder tegelijk om haar schouders. 'Je bent geen misbaksel,' zei haar moeder. 'Je bent in de war. En dat is logisch. Je hebt de afgelopen tijd zo veel meegemaakt.'

De hand van haar moeder streek door haar haren. Haar

vader streelde haar wang en veegde wat tranen weg.

'Jullie zijn echt de liefste ouders die ik maar kan wensen,' snotterde ze. 'Mijn gedrag heeft niets te maken met jullie. Geloof me, ik –'

'We geloven je. Rustig maar. Het komt allemaal goed,' fluisterde haar moeder.

Hanna legde haar hoofd op haar moeders schouder en liet zich troosten. De veiligheid van haar moeders armen, het strelen van haar vader, de warmte die ze voelde... Kon ze maar voor altijd schuilen bij deze twee lieve mensen. Weg van de boze wereld, van ruzie en problemen. Gewoon schuilen en niets doen, haar hele leven lang.

'Luister Hanna,' zei haar moeder. 'Wij houden van je en willen niets liever dan jou gelukkig zien. Ook al betekent dat dat we afscheid moeten nemen.' Ze gaf Hanna een kus op haar haren. 'Ik weet nog hoe blij je was dat we je kwamen halen. Je was net twee en je zag er zo lief uit. Anneke droeg je op haar arm en vertelde dat wij je nieuwe papa en mama waren. Je strekte je armpjes en je knuffelde me. Vanaf dat moment hield ik van je en dat is nooit meer gestopt. Ook niet toen Kim en Thijs en Bram erbij kwamen. Jij bent dan wel niet uit mij geboren, mijn liefde voor jou is er niet minder om. Dat moet je van me aannemen.'

'Dat weet ik, mam,' fluisterde Hanna. 'Dat weet ik. En het spijt me dat ik mezelf Assepoester noemde.'

'Je zusje Tanja was het er niet mee eens dat we je kwamen halen,' ging haar moeder verder. 'Ze schreeuwde en huilde toen we je meenamen. Er zat zo veel boosheid in haar. Ik vond het hartverscheurend.'

'Was Joan er nog wel?'

'Nee, Anneke zei dat ze al meteen na jullie komst was geadopteerd door een echtpaar.'

'Van den Meulendijck.'

'Ja, Joan was toen al de flirt van het stel, vertelde Anneke. Ze had Thomas en Jennifer totaal ingepakt met haar charmes.'

'Wat moet dat erg geweest zijn voor Tanja,' fluisterde Hanna. 'Eerst Joan en toen ik.'

'Ja, dat was het ook.' Haar moeder dacht na. 'Dat beeld vergeet ik nooit meer. Anneke hield Tanja stevig vast en zwaaide naar ons. Tanja krijste en spartelde, maar ze kon geen kant op. Het blijde gevoel was in één klap weg.'

'Vond ik het niet erg dat ik wegging?' vroeg Hanna die zich er niets meer van kon herinneren.

'Nee, je was rustig en vrolijk en keek niet één keer om.'

'Wat gemeen van me,' fluisterde Hanna.

'Je was twee,' zei haar vader. 'Dat deed je niet bewust.'

'Hadden jullie nog contact met Anneke toen ik bij jullie woonde?' Hanna voelde zich rustiger worden. Het was fijn om zo te praten over haar jeugd en over haar zussen.

'Eén keer,' zei haar vader. 'Ze vertelde ons dat die brief naar de notaris ging, voor als jullie zestien zouden worden. Ook wij wisten niet wat daarin stond.'

Hanna keek op. 'Waren jullie dan niet bang toen ik bijna zestien was?'

'Ja.' Haar moeder knikte. 'Ja en nee. Na zo veel jaren stop je dingen weg. We waren zo blij met jou en de andere kinderen. We konden ons niet meer voorstellen hoe een leven zonder jou eruit zou zien. Het was net of de dreiging er niet was. We hadden het zo goed samen. En jij was gelukkig, dat was het belangrijkste.'

'En nu? Hoe voelt het nu?'

Het was even stil. Hanna zag dat haar ouders het moeilijk vonden om over hun gevoelens te praten.

'Ik wil het graag weten, mam,' zei ze. 'Wat is de werkelijke reden dat jullie mij niet willen laten gaan?'

'Ik ben bang,' fluisterde haar moeder en ze duwde haar gezicht in Hanna's haren. 'Ik ben zo bang geweest dat ik je kwijt zou raken en net nu ik dacht dat het weer wat rustiger werd...' Hanna voelde haar hoofdhuid nat worden. Haar moeder huilde. Ze omarmde haar en secondelang bleven ze zo zitten.

Hanna troostte haar moeder en zichzelf. 'Ik was ook bang,' bekende ze.

De woorden kwamen er als vanzelf uit. Alsof het haar opeens duidelijk was wat er aan de hand was. 'De wereld werd ineens zoveel groter.'

'Misschien hebben we je te beschermd opgevoed,' opperde haar vader en Hanna hoorde dat ook hij geëmotioneerd was.

'Dat is achteraf gepraat, pap.' Ze ging rechtop zitten en keek haar vader aan. 'Het is goed zo.' Ze lachte door haar tranen heen. 'Ieder ander adoptiekind dat zijn werkelijke ouders ontmoet is van slag, maar ik kreeg er een hele artiestenwereld bij en twee maffe zussen. Dat is toch om gek van te worden?' Ze voelde de chaos in haar hoofd op zijn plek vallen. 'Het enige wat ik wil, is uitzoeken wie ik ben. En daar heb ik jullie hulp ook bij nodig. Ik vind het fijn om zo te praten.' Ze glimlachte. 'Het lucht een beetje op.'

'Dat is goed, meisje, dan doen we dit vaker.'

Haar ouders wierpen elkaar veelbetekenende blikken toe.

'Ook als je bij Joan woont,' zei haar vader.

'We komen gewoon regelmatig op bezoek,' vulde haar moeder aan.

Hanna kon het bijna niet geloven. 'Echt? Dus jullie vinden het goed?'

Haar moeder lachte. 'Als jij belooft dat je op tijd aan de bel trekt.'

'Ja, ja, dat beloof ik!'

'En dat we regelmatig van deze goede gesprekken hebben.'

'Ja, ja, dat beloof ik!'

'En dat je niet meer spijbelt.'

'Ja, ja, dat beloof ik!'

'Nou, dan vinden wij het goed.'

'Ooo, jullie zijn schatten!' Hanna wist niet wie ze eerst moest zoenen en dus duwde ze de hoofden van haar ouders naar elkaar toe en omarmde hen tegelijk. 'Ik weet zeker dat het gaat lukken. En ik beloof –'

'Je hebt al genoeg beloofd, lieverd,' viel haar moeder haar in de rede. 'Zorg jij nu maar dat je wat rustiger wordt en je leventje op orde brengt. Wij zijn er om je te steunen.'

'Tot je een oma bent,' vulde haar vader aan.

Hanna schoot in de lach. 'Hoe oud worden jullie dan wel niet?'

'Heel oud!'

Mevrouw Verduin pakte de volle theekopjes op. 'En dan schenk ik nu maar nieuwe thee in, want deze is koud geworden.'

Hanna observeerde haar moeder terwijl die naar de keuken liep en de glazen leeggooide in de spoelbak. Haar vader liep naar de voorraadkast en haalde er een trommel uit. 'Koekje erbij?'

'Ja, lekker,' riep Hanna. Ze kon alleen maar blij zijn met zulke ouders.

9
Een lege kamer

'We komen je halen,' had Joan vanochtend door de telefoon gezegd en nu stond ze samen met Brent bij haar op de stoep.

Hanna begroette hen en nam hen onderzoekend op.

'Wat?' vroeg Joan lachend.

'Nee... niets.'

'Komen jullie nog even gedag zeggen?' Hanna gebaarde dat ze binnen moesten komen. Brent stapte als eerste de gang in.

'Niets gebeurd,' fluisterde Joan toen ze langs Hanna achter Brent aan stapte. 'Hij slaapt in de logeerkamer. Vond-ie beter.'

Hanna sloot de deur en liep naar de woonkamer waar Brent en Joan met haar ouders praatten. Bram zat op de grond bij zijn autootjes en keek nieuwsgierig naar al die mensen.

'Thijs is naar voetbal en Kim is een boodschapje doen,' zei Hanna's moeder. Ze gaf Hanna een knipoog. 'Ze moet

er maar aan wennen dat de taken van Hanna verdeeld worden over haar en Thijs.'

'Dus jij komt uit Londen en je spreekt Nederlands.' Hanna's vader gaf Brent een hand.

'Ja, meneer.'

'Ga je nu het huis bekijken?'

'Ja, ik val met mijn neus in de boter, begrijp ik van de
dames.'

Hanna zag de teleurgestelde blik in haar moeders ogen.
'We gaan eerst zelf kijken, mam. Vind je dat goed?'

Haar moeder knikte. 'Tuurlijk, het lijkt me best spannend voor jullie.'

'Is het ook,' zei Joan. 'We moeten de binnenhuisarchitect
zo gauw mogelijk op de hoogte stellen van onze wensen.'

Er viel een stilte.

'Binnenhuisarchitect?' stamelde Hanna.

'Ja, we moeten het huis meteen goed inrichten. De juiste kleuren, de juiste raamdecoraties, meubels...'

'Ik dacht dat we zelf...'

Joan trok een beledigd gezicht. 'Zoiets moet je aan een
professional overlaten. Ik wil niet dat onze gasten straks af-
keurende blikken werpen op ons interieur.'

Brent gaf Hanna een knipoog en sloeg een arm om
Joan heen. 'Lieve Joan. Advies is prima, maar het is ook
fijn als je zelf de kwast oppakt.'

'Ik? Verven?'

'Ja, jij. Dat is goed voor je. Het voelt gewoon beter als
je er iets voor gedaan hebt.'

'Ik heb er al genoeg voor gedaan,' zei Joan.

'Wat dan?' Brent glimlachte. 'Je hebt het huis uitgezocht
en je vader de opdracht gegeven om het te kopen. Dat is alles.'

Joan zweeg. 'Je doet nu net of ik een verwend nest ben.'

'Dat ben je ook.'

'O, nou, dank je.' Beledigd deed ze een stap opzij, zodat Brents arm van haar schouder gleed.

'Brent heeft gelijk,' zei Hanna's vader. 'Je bent trotser op iets als je er zelf voor gewerkt hebt.'

'Weer die trots,' mompelde Joan.

Hanna nam het voor Brent en haar vader op. 'Het lijkt mij ook leuker om dingen zelf te doen. Dan ben je trots op het resultaat.'

'Ik geloof er niets van,' reageerde Joan. 'Ik ben nu ook al heel blij en trots op ons huis. Jij niet dan?'

'Tuurlijk wel. Maar als ik mijn eigen muur heb geschilderd, ben ik nog trotser.'

'Jij liever dan ik,' zei Joan. Ze zuchtte. 'Oké, jij mag schilderen, maar wel nadat de binnenhuisarchitect de juiste kleur heeft bepaald.'

'Afgesproken,' zei Brent lachend. 'En ik verf gewoon mee. Ik ben hier nog wel even.'

Joan keek naar Brent en Hanna. 'Zo te zien hebben jullie elkaar gevonden in het verven. Mijn zegen hebben jullie.'

'Zullen we?' Hanna gaf haar moeder een kus. 'Tot straks, mam.'

'Veel plezier.'

Even later reden ze over de Johan Huizingalaan richting het centrum.

'Wel handig, zo'n ouder vriendje dat kan autorijden,' zei Joan. Ze zat samen met Hanna op de achterbank en genoot van het uitzicht. 'Je bent woest aantrekkelijk van achteren,' riep ze.

Brent stak zijn hand op. 'Niet praten met de bestuurder als hij rijdt.'

Joan kriebelde hem in zijn nek.

'Hou op, Joan.'

'Ik praat toch niet?' Ze liet zich weer achterovervallen. 'Mijn moeder is een weekje weg. Brent en ik mogen haar auto gebruiken, wel zo makkelijk.'

Het was druk op de Herengracht. Brent moest drie keer rondrijden voordat hij een parkeerplek vond. Uiteindelijk stonden ze voor de deur.

Joan pakte de sleutel uit haar tas. 'Daar gaat-ie dan.'

De deur draaide langzaam open en de meiden stapten tegelijk naar binnen.

'Wow... het is nog mooier dan de eerste keer.' Hanna besefte dat dit nu haar huis werd en voelde zich opgelaten.

Joan trok Brent mee naar binnen. 'Welkom in ons nieuwe huis.'

Brent floot tussen zijn tanden. 'Heel mooi,' zei hij zacht.

Hanna liep door de hal naar de keuken en streek met haar hand langs het fornuis. 'Hier wil ik wel een keer aardappels schillen.'

'Aardappels schillen?' Joan trok een vies gezicht. 'Allemaal koolhydraten.'

'Ik ook hoor,' riep Brent. 'Een lekkere stamppot gaat er wel in. Mijn moeder kon zo heerlijk hutspot maken.'

'Getver... hutspot, hoe verzin je het?'

'Met worst en spekjes?' vroeg Hanna enthousiast en Brent knikte. 'Ja, en jus.'

'Volgens mij zijn jullie allebei gek,' zei Joan lachend. 'Zijn er soms meer overeenkomsten tussen jullie?'

'Daar komen we binnenkort vanzelf achter.' Brent lachte en hij sloeg zijn arm om Hanna heen. 'Toch, zusje?'

Heel even betrok Joans gezicht, maar ze herstelde zich.

'Ik ga naar boven,' riep ze en ze wenkte Brent. 'Ga je mee? Kun je zien waar onze kamers zijn.'

'Weten jullie dat dan al?' vroeg Brent.

'Ja, kom maar mee.'

Terwijl Joan en Brent naar boven liepen, bleef Hanna achter in de keuken. Ze wilde zich niet opdringen. Ze zou zo dadelijk wel naar boven gaan.

Aandachtig bekeek ze de keuken. Hij was werkelijk prachtig en ze kon zich bijna niet voorstellen dat ze hier al heel snel haar eigen eten ging maken. Het statige gasfornuis scheen behoorlijk modern te zijn, had Joan gezegd. 'Chic en robuust,' waren haar woorden.

Thuis kookte haar moeder ook op gas, dus dat was geen probleem. Ze wist hoe dat ging. Gelukkig had ze al vrij jong geleerd hoe ze eten moest klaarmaken. Van aardappels met groente en vlees tot en met macaroni, visschotels en zelfs stoofpotjes. Nee, ze zou niet omkomen van de honger. Heel even bedacht ze dat Joan misschien wel een heel andere smaak had, maar al snel stapte ze daaroverheen. Joan moest zich maar aanpassen. Als zij kookte, aten ze Hollandse kost. Dat vond zij lekker.

Het zou zelden voorkomen dat Joan ging koken. Tot nu toe had ze er nog niet veel van gebakken thuis. Hilke was tenminste flink aan het mopperen geweest vorige maand toen Joan een keer had gekookt voor hen beiden toen Hilke er niet was.

Alles was aangebrand en uiteindelijk hadden ze Chinees gehaald. De vuile troep had Joan gewoon laten staan. Hanna had zich rot geschaamd, maar Joan had haar gezegd dat Hilke het helemaal niet erg vond om op te ruimen. De boze blikken van Hilke spraken boekdelen. Nee, Joan was niet echt een keukenprinses.

'Hanna!' De stem van Brent schalde door het lege huis. 'Kom je?'

Hanna liep de trap op en zag Brent in de deuropening van de grote slaapkamer staan. 'Ben jij het ermee eens dat Joan de grootste kamer krijgt?'

Aan zijn stem kon Hanna horen dat hij dit niet vanzelfsprekend vond. 'Eh... ja, hoor! Het maakt mij niet uit. Als zij daar nou gelukkig van wordt.'

'Zie je wel!' hoorde ze Joan roepen. 'Hanna vind het goed.'

Brent haalde zijn schouders op. 'Oké, maar als ik Hanna was...'

'Gelukkig ben jij Hanna niet,' zei Joan die naar hem toe kwam lopen. 'Anders was ik ook niet op je gevallen.'

'Dat is waar.' Brent gaf haar een kus. 'Zullen we dan nu naar de kamer van Hanna gaan kijken?'

'Wil je niet eerst mijn badkamer zien?' Joan liep naar een deur aan de andere kant van de gang en sleurde Brent met zich mee.

Hanna wees naar de trap. 'Ik ga vast. Ik zie jullie zo.'

Terwijl Brent en Joan de badkamer in doken, liep Hanna de trap op. De muren van de trap waren mooi wit gestuukt en de houten leuning paste er precies bij. Ze snapte niet dat Joan ook de muren van de trap wilde overschilderen. Dit was toch al allemaal te mooi om waar te zijn? Hanna stond even stil en sloot haar ogen. Was het een droom? Een illusie?

Ze had het idee dat deze droom haar ieder moment kon worden afgepakt. Zo'n mooi huis, een lieve zus en begrijpende ouders... was ze het waard? Ze had de laatste tijd alles verknald. Hoe kon ze dan recht hebben op zo veel geluk?

Hanna opende haar ogen en liep naar haar kamerdeur. In de deuropening bleef ze staan. Haar blik gleed door de kamer. Het leek wel een balzaal. Haar eigen kamer paste er wel vijf keer in.

Ze deed een stap naar voren en haalde diep adem. 'Hallo kamer,' fluisterde ze. Ze sloot haar ogen en probeerde te voelen of het goed was. Zou ze hier willen wonen? Kon ze hier gelukkig zijn... worden?

Haar hoofd duizelde en even wankelde ze. Ze had dat pilletje gisteravond nooit moeten nemen. Het had haar maar even geholpen. Haar somberheid werd minder na het innemen van Joshua's pil, maar ze besefte heel goed dat het een verdover was. Gisteravond, tijdens het gesprek met haar ouders, had ze de effecten nog wel gemerkt, maar vanochtend toen ze opstond, was haar sombere gevoel dubbel zo hard teruggekeerd. Ze besloot dat ze de pillen straks weg zou gooien. Het bleef bij deze ene keer.

Hanna liep naar het raam. De openslaande deuren gingen makkelijk open en ze stapte op haar balkon. De frisse buitenlucht maakte haar hoofd leeg en ze voelde de duizeligheid zakken. Het verkeer op de gracht gaf een gezellig achtergrondgeluid en Hanna genoot van de drukte.

Aan de overkant van de gracht zag ze de barman van De Admiraal lopen. Hij opende de poort en verdween naar binnen. Een vrachtwagen stopte bij het pand ernaast. De auto achter de vrachtwagen toeterde, maar de bestuurder van de vrachtwagen zette zijn motor af en stapte uit. Hij gooide de deuren van de vrachtwagen open, klom in de laadruimte en schoof een lange plank naar buiten. Hij zwaaide met zijn armen naar de automobilist en gebaarde dat die even moest wachten.

'Hoe lang gaat het duren?' riep de bestuurder van de auto die zijn raampje naar beneden had gedraaid.

Het antwoord kon Hanna niet horen, maar aan de boze gebaren van de automobilist te zien zou de vrachtwagenchauffeur niet snel klaar zijn. De auto reed naar achteren en stoof de brug over. Met gierende banden reed de auto, nu tegen het verkeer in, onder haar balkon door. Luid toeterend stoof hij voorbij en voordat er een tegenligger kwam, reed hij via de andere brug de goede kant van de gracht weer op.

Hanna glimlachte. Dit was Amsterdam en ze wist dat ze hier op haar plek was. Hier wilde ze wonen. Dit was haar kamer.

'En?' Brent kwam de kamer in en liep naar het balkon. 'Mooi?'

Hanna knikte. 'Waar is Joan?'

'Plassen.'

Hanna schoot in de lach. 'Doet de wc het dan al?'

'Geen idee, maar Joan laat zich echt niet tegenhouden.'

'Ik weet het.' Hanna pakte de ijzeren balustrade van haar balkon vast. 'Ik vind het heerlijk hier. Het ruikt hier zo... gezellig.'

'Ja, ik snap wat je bedoelt,' zei Brent. 'Dat heb ik ook in Londen. Het is net of je de sfeer kunt voelen, ruiken en proeven.'

Hanna draaide zich om. Brent begreep haar. 'Ik heb dat ook in de lente,' bekende ze. 'Als de bomen uitlopen en de bloemen opkomen. Het is dan net of ik de lente ruik.'

'Ja,' zei Brent. 'Het is dan net of de lucht dikker is... grijpbaar.'

'Ja, dat is het!' Hanna haalde diep adem. 'Ik hoop dat ik hier zo snel mogelijk in kan.'

Brent kwam naast haar staan. 'Heb je zo'n haast?'

'Ja, eigenlijk wel.' Ze keek hem aan. 'Ik heb rust nodig en een beetje ruimte voor mezelf.'

'Ruimte genoeg,' merkte Brent op, maar Hanna lachte niet.

'Sorry, zo bedoelde ik het niet,' zei Brent. 'Wat is er?'

'Het gaat de laatste tijd niet zo lekker met me. Ik kan me niet goed concentreren, school gaat niet best en mijn vriend heeft het uitgemaakt.'

Brent sloeg zijn arm om haar heen. 'Joan vertelde het. Ik vind het fijn dat je mij in vertrouwen neemt.'

Hanna knikte. 'Jij begrijpt me tenminste,' zei ze. 'Ik heb het gevoel dat ik in een lege kamer sta en dat niemand me hoort.'

'Ik hoor je, hoor!' Joan kwam de kamer in gelopen. 'En met jouw meubeltjes is deze kamer snel niet leeg meer.' Ze keek met een schuin oog naar Brents arm die op Hanna's schouder rustte.

Hanna deed een stap naar achteren, zodat de arm haar losliet. 'Brent troostte me,' zei ze, maar ze wist dat het knullig klonk. 'Ik heb hem verteld van Jasper.'

'O.' Joan kwam naast Brent staan. 'Hoeven we niet geheimzinnig meer te doen.' Ze gaf Brent een kus. 'De wc doet het.'

'Fijn,' zei Brent. 'Dan ga ik ook even.'

Hij liep de kamer uit.

'Er is geen papier,' riep Joan hem na.

Hanna sloeg haar armen over elkaar. 'Het is prachtig hier. Ik begin er echt zin in te krijgen.'

Joan kwam naast haar staan. 'Ja, ik ook. Maandag komt de binnenhuisarchitect en dan horen we snel genoeg wanneer we erin mogen.'

'Joan?'

'Ja.'

'Bedankt.'

'Waarvoor?'

'Voor alles. Zonder jou en je vader had ik deze droom nooit waar kunnen maken.' Haar stem trilde. 'Je bent echt mijn zus.'

Joan sloeg haar arm om Hanna's middel. 'Ik vind het ook fijn dat je bij mij wilt wonen. Alleen had ik dit nooit gedurfd.'

'Iedereen was met jou meegegaan,' zei Hanna.

'Ja, misschien. Maar ik wil niet met iedereen samenwonen.'

'Brent?'

'Ja, met Brent wel.'

'Je vindt hem echt leuk, hè?'

'Ja.' Joan staarde voor zich uit. 'Ik ben voor het eerst van mijn leven echt verliefd.'

'Ik zie het.'

'Echt?' Joan keek haar zus aan. 'Kun je dat zien?'

'Ik wel,' zei Hanna lachend.

'Ik vind het jammer voor je dat Jasper het heeft uitgemaakt.'

Hanna haalde haar schouders op. 'Eigen schuld. Ik heb het er ook naar gemaakt.'

'Doet het je niks, dan?'

Hanna aarzelde. 'Niet echt.' Ze beet op haar lip en wist niet goed of ze haar zus in vertrouwen kon nemen. Ze besloot de gok te wagen. 'Dat is nu precies het probleem.' Ze durfde haar zus niet aan te kijken. 'Ik voel niets. Voelde ik maar iets... boosheid, verdriet... Niets! Het lijkt wel alsof al mijn gevoel verdwenen is.'

'Doe niet zo raar,' zei Joan. 'Dat kan niet.'

'Nee, maar het voelt wel zo.

Joan schoot in de lach. 'Dus je voelt toch wat?'

Heel even keek Hanna op en ze glimlachte. 'Ja, dat ik niets voel.'

'Het gaat weer over,' zei Joan.

'Ja.'

Zwijgend keken ze voor zich uit.

Ruzie

'Je staat er weer mooi op.' Parrot legde het tijdschrift op tafel. 'Ik denk dat wij eens moeten praten.'

Tanja zat met opgetrokken knieën op de bank. Het was vroeg in de middag en ze was net wakker. Met een schuin oog bekeek ze de foto op de voorkant van het tijdschrift. Ze zag zichzelf dansend met een paar jongens. Haar topje was half naar beneden gezakt en in haar handen had ze een cocktail. Zo te zien had ze het naar haar zin. Ze kon zich er niet veel meer van herinneren, maar het was duidelijk gezellig geweest.

'Die foto in de krant van gisteren was mooier. Daar had ik nog kleren aan.'

Parrot ging naast Tanja zitten. 'Gaat het met je?'

'Ja, hoor.'

Er viel een stilte. Parrot streelde Tanja's haar. 'Wil je koffie?'

'Graag.'

Terwijl Parrot naar de keuken liep, zette Tanja de tv aan.

De muziekzender vertoonde net haar clip. Zwijgend staarde ze naar haar eigen bewegingen en die van Terry. Ze had de clip al minstens honderd keer gezien en iedere keer verbaasde ze zich over haar lenigheid. Maar zoals ze in de clip danste, zo voelde ze zich nu niet.

Parrot overhandigde haar een mok koffie en zette de tv weer uit.

'Hee...' begon Tanja, maar Parrot smeet de afstandsbediening op de stoel tegenover hen.

'We moeten praten.'

'Ik moet helemaal niets.' Tanja nam een slok van haar koffie en verslikte zich.

'Je bent gisteravond weer gaan stappen.'

'Ja, mag ik?'

'Mike heeft je gevraagd om het deze week rustig aan te doen. Je optredens dit weekend zijn belangrijk. Je was pas om vijf uur thuis!'

'Ik kan heus wel optreden als ik gestapt heb, hoor.'

'Ik denk het niet. Moet je zien hoe je eruitziet. En jij wilt vanavond fris en fruitig op het podium staan?'

'Ja, kwestie van goede make-up.'

Parrot verloor zijn geduld. 'Nou moet je eens goed luisteren, Tanja. Het artiestenleven is niet zomaar een lolletje. Je moet er keihard voor werken.'

'Dat doe ik toch! Ik ben al weken aan het werk.'

'Dat is waar, maar uitgaan en werken gaan niet samen.'

Tanja schoot in de lach. 'Wat is dat nu voor een onzin? Je kunt toch niet je hele leven alleen maar werken? Zou een saaie boel worden.'

'Je begrijpt het niet –' begon Parrot, maar Tanja liet hem niet uitpraten.

'Wat wil je nou, man? Ik raak iedereen kwijt door dat

werk van mij. Danny, mijn zussen... Ze wonen allemaal aan de andere kant van de Noordzee en ik kan niet naar ze toe. Druk, druk, druk. Jij en Mike zijn ook altijd aan het werk. Ik heb helemaal niemand met wie ik kan lachen, huilen of wat dan ook. Ik ben pas zestien. Mag ik ook een beetje plezier in mijn leven?'

'Tuurlijk, *baby*.'

'*Don't call me baby*,' schreeuwde Tanja. 'Ik ben geen klein kind.'

'Je gedraagt je er wel naar,' zei Parrot. 'Ik snap dat het niet makkelijk is, maar je hebt een nieuwe cd. Daarvoor moet je veel promotie doen. Mike is je manager en hij doet het fantastisch. Waarom denk je dat je zoveel succes hebt?'

Tanja zweeg.

'Nu werken, straks feesten,' ging Parrot verder. 'Zo hou je het vol. Als alles achter de rug is, kun je weer naar je zussen toe. Of naar Danny.'

Tanja haalde haar schouders op. 'Danny heeft het uitgemaakt.'

'O?'

'Ik had geen tijd voor hem. Logisch.'

'Helemaal niet logisch,' zei Parrot. 'Die jongen moet toch snappen dat –'

'Die jongen,' schreeuwde Tanja. 'Die jongen was het zat. Hij wil ook aandacht.'

'Ja, maar –'

'Hij houdt van me en wil mijn geluk niet in de weg staan.' Tanja's stem trilde. 'Lief toch?'

'Ik –'

'Christa deed precies hetzelfde.'

Bij het horen van de naam van Tanja's moeder was Parrot zichtbaar aangeslagen.

Tanja kon niet meer stoppen. 'Ze liet je vrij omdat ze van je hield. Net als Danny. De geschiedenis herhaalt zich.' Ze snikte. 'En het ergste is dat ik het toelaat. Weet je waarom? Omdat het in mijn bloed zit. Net als bij jou. Muziek is mijn leven. Het gaat voor alles, zelfs voor Danny! Dat is toch vreselijk?'

Parrot wilde zijn arm om haar heen slaan, maar ze weerde haar vader af. 'Laat me gewoon even met rust, ja?'

'Hoe denk je dat ik het zo lang heb uitgehouden in de muziek?'

'Geen idee en dat interesseert me ook niet.'

Tanja stond op en pakte de afstandsbediening. 'Mag ik nu weer verder kijken?'

De muziekklanken vulden de kamer.

'Bekijk het dan maar, eigenwijs!' Parrot liep de kamer uit. 'Maar kom niet bij me aankloppen als het fout gaat.'

'Ik zal eraan denken,' zei Tanja en ze zette een andere zender op.

De deur viel met een klap dicht.

'Ik kan het best alleen,' mompelde Tanja. 'Ik heb jullie hulp helemaal niet nodig.'

Haar mobiel ging.

'Hey, Joan...'

'Stoor ik?'

'Nee, ik ben net wakker.'

'Laat geworden?'

'Nogal.'

'Gaaf.'

'Niet echt.' Tanja aarzelde. 'Ben mijn verdriet aan het wegfeesten.'

'Danny?'

'Ja, ik krijg die jongen niet uit mijn kop.'

'Hanna en ik zagen je in een tijdschrift staan.'

'Welk van de duizend?'

Het was even stil. 'Zoveel? Ik hoop dat ik later, als ik net zo beroemd ben als jij, ook in alle bladen sta.'

'Zo leuk is het niet, hoor,' bromde Tanja.

'Echt wel! Ik kan niet wachten. Brent zei net –'

'Is Brent er dan al?'

'Ja, gisteren toch?'

Tanja herinnerde zich vaag dat Joan haar had verteld dat Brent vrijdag over zou komen. 'O, ja. Sorry.'

'We hebben het huis.'

'Huis?'

Joan was hoorbaar gepikeerd. 'Ja, het huis waar Hanna en ik naar op zoek waren.'

'O ja. Hoe is het daarmee?'

'Zeg, ben jij eigenlijk wel helemaal wakker?'

'Niet echt, maar vertel maar.'

Tanja luisterde naar het geratel van Joan over het nieuwe huis en probeerde belangstellend over te komen door af en toe 'ooo' of 'ja?' te roepen.

'En maandag komt de binnenhuisarchitect al,' besloot Joan haar verhaal.

'Goh, wat goed.'

Het was even stil.

'Heb je wel geluisterd?' vroeg Joan.

'Ja.'

'Hmm...'

'Heb je mijn nieuwe nummer al gehoord?' Tanja besloot op een ander onderwerp over te stappen. Ze was veel te blij dat haar zus belde.

'Ja, man. Het staat hier al op nummer vijf. Te gekke plaat. Mike heeft een paar cd's opgestuurd.'

'O ja? Wat goed van hem. Dat wist ik niet.'

'Hoe gaat het met je optredens?'

'Vanavond weer in de O2.'

'Gaaf, dat is die grote concertzaal aan de Theems, toch? Zit je in een voorprogramma of –'

'Alleen. Spannend hoor. Mike vond dat ik het kon.'

'We zullen voor je duimen. Hoe is het met die Terry?'

'Die leeft nog... ergens, denk ik.'

'Hoezo? Niks geworden?'

Tanja beet op haar lip. Ze wilde niet over Terry praten. Ze had zich vergist. Zo leuk als hij was tijdens de opnames, zo vervelend deed hij tijdens een avondje stappen. Natuurlijk was hij knap een aantrekkelijk, maar dat hoefde hij toch niet zo te showen aan iedereen? Op een gegeven moment had hij wel tien meiden om zich heen verzameld en stond zij in haar eentje op de dansvloer. Lekkere date!

'Tan?' Joans stem klonk nieuwsgierig.

'Nee, Terry is verleden tijd.'

'En verder?'

'Verder niets. Er is niets, niemand, *nobody*!' Ze kreeg een idee. 'Jullie hebben het ook druk zeker?'

'Hoezo?'

'Zo maar. Ik dacht, misschien kunnen jullie overkomen?'

'We zijn net geweest!'

'Weet ik, maar ik mis jullie.'

'Wij missen jou ook... toch, Hanna?'

Tanja hoorde gejoel op de achtergrond. 'Is Hanna bij je?'

'Ja, we staan in ons nieuwe huis. Hoor je niet hoe hol het klinkt?'

Tanja hoorde Hanna en Joan joelen en schoot in de lach. 'Stop maar!'

'Brent is er ook.'

'Ik wilde dat ik erbij kon zijn,' mompelde Tanja en haar ogen prikten.

'Wat zeg je? Ik kan je niet verstaan. Hanna en Brent jodelen erdoorheen.'

'Niets,' zei Tanja. 'Ik moet ophangen.'

'Ja, groetjes aan Parrot en Mike.'

'Doe ik, *bye*!' Tanja drukte haar mobiel uit en liet haar tranen de vrije loop. Ze had er alles voor over om bij haar zussen te zijn. Zo te horen hadden die het enorm naar hun zin.

De deur van de kamer ging open en Mike kwam binnen. '*Hey, sister, how are you?*'

Tanja veegde snel haar wang droog met de mouw van haar pyjama.

'Huil je?'

Mike kwam naar haar toe gelopen. 'Tanja?'

Ze wendde haar hoofd af. 'Er zit iets in mijn oog.'

Hij pakte haar arm en trok die voor haar gezicht weg. 'Wat is er aan de hand?'

'Niets.'

Maar haar broer liet zich niet met een kluitje in het riet sturen. '*Tell me*. Waarom huil je?'

'Ik heb ruzie met Parrot.'

Mike fronste zijn wenkbrauwen. 'Ruzie? Met Parrot? *Impossible.*'

'Toch is het zo.'

'*Why?*'

Nadat Tanja had uitgelegd waarom Parrot boos was op haar, kreeg ze niet de verwachte steun van haar broer. '*He's right!*' zei hij en hij streek haar haren naar achteren. '*You shouldn't party so much.*'

'Maar –'

'Ssshh... *Don't speak. You know he's right.*'

Tanja gaf zich gewonnen. Ze wist heus wel dat Parrot gelijk had, maar ze was te trots geweest om het toe te geven. En ze was boos. Boos op Danny, op zichzelf en op Mike. Hij was de oorzaak dat ze zich zo moest uitsloven. Hij regelde al die optredens. Kon dat niet wat minder? Ze wilde zo graag eens ontspannen, naar haar zussen toe in Amsterdam, lachen...

De woorden stroomden eruit. Mike liet haar uitpraten en knikte af en toe instemmend. Tanja vond het fijn dat er iemand echt naar haar luisterde.

'*All right,*' zei Mike toen ze uitgesproken was. '*I'll see what I can do.*'

'Echt?' Tanja was blij dat Mike meedacht. 'Misschien kun je wat afspraken verzetten.' Ze sloot haar ogen. 'Het spijt me. Ik ben ook zo moe, doodmoe en dan ga je verkeerde dingen zeggen en doen. Sorry.'

'*Tell that to Parrot,*' zei Mike. '*He's in his room.*'

'Nu?'

'*Yes, now!*'

Tanja begreep wel dat ze geen keus had. Als Mike haar wensen wilde inwilligen, moest ze hem tegemoetkomen. Eigenlijk vond ze het wel prettig dat hij haar nu dwong om haar excuses aan te bieden aan Parrot. Ze had er zelf ook een rotgevoel over en wilde dit zo snel mogelijk achter zich laten. Ze was er niet trots op.

Ze klopte op Parrots kamerdeur.

'*Come in.*'

Tanja duwde de deur open. Parrot zat achter zijn bureau en was bezig met componeren. Tanja had dat al vaker gezien en ze vond het iedere keer weer knap dat hij vanuit het niets zomaar een mooie melodie op papier kreeg.

'*Am I interrupting?*' vroeg ze.

Parrot legde zijn stift neer en draaide zich om. 'Nee, je stoort niet. Kom binnen.'

Tanja liep naar haar vader toe. 'Sorry,' zei ze zacht.

Parrot stond op en sloeg zijn armen om haar heen. '*It's all right, girl... it's all right.*'

Tanja begroef haar gezicht in zijn shirt. Net als toen op dat podium, toen ze hem voor het eerst omhelsde. Hij rook nog hetzelfde, fijn en veilig.

Parrot boog naar achteren en pakte haar hoofd in zijn handen. 'Ik maak me zorgen,' zei hij. 'Je bent zo...' Hij zocht naar het juiste woord. 'Zo zwart-wit.'

Tanja zweeg.

'Is het Danny?'

'Ik weet het niet,' zei Tanja. 'Niet alleen. Het is gewoon alles bij elkaar.'

'Ik denk dat we wat zuiniger met je talent om moeten gaan. Het is ook mijn schuld. Je lijkt zo sterk, stoer en vol energie, maar jij bent gewoon nog mijn kleine meisje van zestien.'

'Bijna zeventien,' riep Tanja.

'Bijna zeventien.' Parrot lachte. 'Mike en ik zullen de plannen wat bijsturen.' Hij gaf een kus op haar neus. 'En jij moet wat eerder aan de bel trekken, dame. Ik weet dat je je zussen mist. Je zit hier maar tussen al die mannen.'

Tanja knikte. 'Joan en Hanna hebben een huis. Ze gaan samenwonen, dat heb ik je toch verteld?'

'Ja, en nu wil jij naar ze toe, zeker?'

'Het liefst wel, maar ik weet ook wel dat het niet kan. Er staan optredens gepland en ik heb van de week nog een interview met de krant.'

'We gaan kijken of we iets kunnen regelen.' Hij lachte. 'Ik wil zelf ook wel een paar daagjes ontspannen.'

'Ga je mee dan?' Tanja keek verheugd. 'Te gek! Gaan we samen.'

'Ho, ho, dame. Ik weet nog helemaal niet of het kan. Mijn agenda staat ook vol. Maar we gaan kijken.'

Tanja rende de kamer uit, naar de huiskamer. 'Mike, Mike... *we're going to Amsterdam*!'

Parrot bleef hoofdschuddend achter, maar zijn glimlach verried dat hij blij was.

Niet zo slim

'Ben je er klaar voor?' Shanon sloot haar kluisje.

'Niet echt,' mompelde Hanna. 'Maar het moet. Het leven is nu eenmaal geen pretje. Je moet doen wat je moet doen en niet zeuren als het een keertje tegenzit. Vind je ook niet?'

Ze liepen samen in de richting van het biologielokaal.

'Als je deze toets goed maakt, haal je je onvoldoende op,' zei Shanon die haar vriendin wat argwanend aankeek.

'Weet ik.' Hanna keek haar vriendin aan en ze glimlachte. 'Hee, Shan... Sorry dat ik de laatste tijd zo'n bitch ben. Ik voel gewoon dat het niet zo lekker loopt tussen ons. Heb jij dat ook?'

Shanon stond stil en keek haar vriendin aan. Ze zei niets.

'Ik ben nogal druk met Joan,' vervolgde Hanna. 'En het nieuwe huis en dat kost bakken met energie. Het gaat wel, maar ik moet mijn krachten verdelen, snap je? Beetje *energy managing*, zeg maar.'

'Hmmm,' zei Shanon. '*Heavy.*'

'Het is geen excuus,' ging Hanna verder. 'Maar ik wil dat je weet dat ik je vriendin ben.'

'Toch wel?'

'Doe niet zo flauw.' Hanna probeerde te lachen, maar haar gezicht wilde niet meewerken. 'Het is gewoon wat hectisch thuis en ik ben mezelf niet helemaal.'

'Nee, dat hadden we al gemerkt,' merkte Shanon op.

Ze liepen door.

'Je bent chagrijnig, haalt slechte cijfers, snauwt iedereen af,' siste Shanon. 'Alleen op de dagen dat we een toets hebben, ben je lief, vriendelijk en doe je opeens heel ingewikkeld en zweverig.'

'Zweverig?'

'Ja, als in "geitenwollensokken".'

Hanna glimlachte. 'Klinkt lief. Dank je.'

Shanon schudde haar hoofd en duwde de deur van het klaslokaal open.

In de pauze belde Hanna naar Joan. Ze moest haar enthousiasme kwijt. De toets was prima gegaan en ze wist zeker dat ze haar onvoldoende had opgehaald.

'Toestel van Joan, met Brent.'

'O, hoi, met Hanna. Is Joan er niet?'

'Die is even met de architect bezig. Moet ik iets doorgeven?'

'Eh... ja, zeg maar dat mijn toets biologie goed ging.'

'Gefeliciteerd.'

'Dank je, ik heb er ook erg mijn best voor gedaan. Ik heb me de afgelopen week kapot geleerd.'

'Voel je niet schuldig, hoor,' zei Brent. 'Jij zit nog op school. Dan is het logisch dat je niet iedere dag hier kunt zijn. Joan schiet al lekker op.'

In een flits herinnerde Hanna zich de waarschuwing van Joan dat ze niet mocht vertellen dat Joan nog op school zat. 'Ja, die hoeft niet naar school.' Ze lachte, maar het voelde niet helemaal eerlijk. Brent was een schat en Hanna vond het dom dat Joan hem voorloog.

'Kom je straks nog?'

Hanna dacht na. 'Ik heb tot drie uur les en morgen heb ik een presentatie. Ik denk niet –'

'Geeft niets. Wij redden het wel. En ik denk dat je Joan alleen maar voor de voeten loopt als jullie hier allebei gaan rondlopen.'

'Vermaak jij je een beetje?' vroeg Hanna die onrust in Brents stem beluisterde.

'Ja hoor, ik geef advies.' Hij wachtte even. 'Als Joan erom vraagt dan, want het meeste heeft ze al helemaal in haar hoofd.'

'Heb je Amsterdam al gezien?'

'Gisteravond zijn we de stad in geweest. Het is niet laat geworden, want Joan moest al vroeg in het huis zijn. De gordijnen werden opgemeten. Ik heb vanochtend uitgeslapen en kom net binnenstappen.'

'Hmm, volgens mij kun jij wel wat afleiding gebruiken,' zei Hanna. 'Heb je het Rijksmuseum al vanbinnen gezien?'

'Nee, dat zouden we gisteren doen, maar er kwam iets tussen.'

'Als jij nu naar het museum gaat, dan ben ik er over een uurtje.'

'Maar...'

'Niet maren, ik kom eraan. Laat Joan maar lekker haar gang gaan.'

'En je presentatie?'

'Die leer ik vanavond wel. *Deal*?'

'Oké, leuk, zussie. Tot zo.'

Hanna hing op en keek tevreden. Die moest er nodig eens tussenuit. En zij ook.

Ze liep door de kantine naar de kluisjes en pakte haar spullen. Het voelde goed om beslissingen te nemen. Beslissingen die ze vroeger nooit had durven nemen, maar die nu heel logisch leken. Diep in haar hart bedankte ze Joshua voor zijn bijdrage aan dit geluksgevoel. Zo af en toe moest een mens toch ontspannen?

Hanna trok haar jas aan en liep naar de conciërge. 'Ik ga naar huis, Tom. Ik voel me helemaal niet lekker. Wil jij dat noteren?' Ze keek heel pijnlijk en hield haar hand op haar buik. 'Je weet wel.'

Hanna liep door naar buiten. Zo makkelijk ging dat dus. Tom kon het toch niet controleren. Meisjes hadden nu eenmaal vaak buikpijn en hij voelde zich duidelijk opgelaten als ze erover begon. Handig!

Ze had eigenlijk nog twee uur wiskunde en twee uur gym, maar het schuldgevoel bleef weg. Heerlijk! Joshua moest eens weten.

'Brent!' Joan rende de trap af. 'Brent, waar ben je?'

'Hier.'

Joan keek om de hoek van de keuken en zag Brent bij de picknickmand staan. 'Ga je nu al eten?'

'Nee, ik neem een broodje mee. Ik ga naar het Rijksmuseum.'

'O?'

Brent liep naar Joan en gaf haar een kus op haar neus. 'Je bent nog wel even bezig met die architect, toch?'

'Ja, maar...'

'Nou dan! Ik ben over een paar uurtjes weer terug.'

Joan keek teleurgesteld, maar knikte. 'Oké, als jij dat wilt.'

'Ik kan hier toch niets doen. Hanna en ik lopen je alleen maar in de weg. Volgende week, als alle grote dingen klaar zijn, kunnen we gerichter helpen.'

'Hanna?' Op de een of andere manier klonk de naam 'Hanna' vreemd in zijn betoog.

'Hanna belde net. Haar toets ging goed.' Brent overhandigde Joan haar telefoon. 'Ik moest je de groeten doen.'

'Dank je.'

'Hanna laat me het Rijksmuseum zien.'

'O, is dat zo?' Joans gezicht betrok. 'Moet ze niet leren dan?'

'Doet ze vanavond. Ze vond dat ik wel wat afleiding kon gebruiken. Dat vind je toch niet erg?'

'Nee, nee... natuurlijk niet. Gaan jullie lekker lol maken vanmiddag. Ik regel het hier allemaal wel.'

'Ben je nu boos?'

'Nee hoor, waarom zou ik?'

Brent keek met een schuin oog naar Joan. 'Soms heb ik het idee dat ik jou niet begrijp,' zei hij. 'Je kijkt boos, maar je zegt dat het in orde is. Weet je het zeker?' Hij zoende haar. 'Of ben je jaloers?'

Joan boog achterover en keek verontwaardigd. 'Doe niet zo mal. Hanna is mijn zus!'

'Tot straks dan.' Brent liet haar los en pakte zijn jas.

'Veel plezier.' Joan kon de twee woorden met moeite over haar lippen krijgen. Hoe durfde hij! Zij was druk bezig met van alles en nog wat en hij peerde hem om gezellig te gaan stappen met Hanna.

Hanna begreep ze ook niet helemaal. De hele week zeurde ze dat ze moest leren en niet kon helpen en nu ging ze met Brent naar het Rijksmuseum. Ze wist niet goed wat ze daarvan moest denken.

Joan toetste het nummer van Hanna in.

'Met Hanna.'

'Met mij... Joan.'

'O, hoi, had je het al gehoord? Mijn toets ging goed.'

'Ja, Brent vertelde het net.'

'Is hij al onderweg?'

'Wat klink je vrolijk.'

'Ja, ik voel me ook prima. Hoe gaat het daar?'

'Goed.'

'Is die architect al klaar?'

'Bijna.'

'Je hebt het er maar druk mee. Het was maar goed dat ik deze week niet kon door al die toetsen. Ik had alleen maar in de weg gelopen. Morgen heb ik een presentatie. Duim je dan?'

'Tuurlijk.' Joan was overrompeld door het geratel van Hanna. Wat een waterval opeens.

'Ik ga met Brent naar het Rijksmuseum,' ging Hanna verder.

'Ja, dat heeft hij me net medegedeeld.'

'Je vindt het toch wel goed?'

'Ja, hoor!'

'Hij klonk zo down. Hij had nog niets van Amsterdam gezien en zo te horen liep hij met zijn ziel onder zijn arm. Ik dacht: kom, ik nodig je uit voor een bezoekje aan het Rijksmuseum. Dat moet je toch eenmaal in je leven gezien hebben, vind je niet?'

'Hanna, ik moet ophangen.'

'O, ja... sorry. Nou, zie je van de week. Duim je morgen voor me? *Bye!*'

Joan drukte de verbinding weg en staarde voor zich uit. Wat was er in vredesnaam aan de hand met Hanna?

'Ik vond het geweldig. Vooral de Nachtwacht.' Brent gaf Hanna een zoen op haar wang. 'En wat weet jij veel van kunst, zeg!'

Ze stonden bij de tramhalte op het Leidseplein.

'Kunstgeschiedenis is mijn favoriete vak. Misschien ga ik wel kunstgeschiedenis studeren. Of filosofie... of psychologie. Ik weet het nog niet.'

'Eerst maar eens goede cijfers halen,' zei Brent lachend.

'Duim je morgen voor me?' vroeg Hanna toen ze de tram aan zag komen.

'Doe ik.'

De tram stopte en Hanna stapte in. Brent bleef op de stoep staan en volgde haar met zijn ogen. Het was druk in de tram. Zo laat op de middag zat hij vol met forensen die op weg naar huis waren. Hanna had geluk: er stond net iemand op waardoor er een plaatsje bij het raam vrijkwam. Ze ging zitten en stak haar hand op.

Brent zwaaide terug en gaf haar een kushand. Langzaam reed de tram weg. Hanna draaide zich langzaam om en hield haar blik zo lang mogelijk gericht op Brent. Joan had het maar getroffen. Hopelijk besefte ze dat ze heel zuinig moest zijn op hem.

Na een halfuur stapte Hanna uit. Ze kon nu een paar haltes met de bus, maar ze besloot te gaan lopen. Een beetje frisse lucht kon geen kwaad. De afgelopen week was slopend geweest. Drie toetsen en een presentatie. Maar ze had zich kranig gehouden. Als de presentatie morgen nu ook zo goed ging, dan had ze niets meer te vrezen en kon ze met een gerust hart haar tweede rapport tegemoetzien.

Ze moest nog één keer een pilletje nemen en ze had zichzelf voorgenomen dat het de laatste keer zou zijn. Daarna zou ze het op eigen kracht kunnen... in haar nieuwe huis, haar nieuwe leven.

Hanna huppelde over een hinkelbaan die met krijt op de stoep was getekend. Ze herinnerde zich het versje nog van vroeger.

Zacht neuriënd hinkelde ze over de baan. Ze voelde zich blij en opgewekt. Het sombere gevoel was al dagen weg en ze genoot ervan. Het leven zag er een stuk rooskleuriger uit nu.

'*Yes!*' Hanna schreeuwde het uit. Een paar voetgangers keken haar verbaasd aan, maar het kon haar niet schelen. Ze was gelukkig. Vanaf nu zou alles anders worden in haar leven en zij bepaalde dat. Zij en niemand anders!

'Dag schoonheid.'

Joan stond in de keuken en nam een slok water uit een flesje. Brent tilde haar op en zoende haar hals. Langzaam liet hij haar weer naar beneden zakken en Joan genoot van zijn bewonderende blik.

'Je ruikt lekker,' zei hij toen ze weer op de grond stond.

'Ik heb even gedoucht en schone kleren aangetrokken.'

'Ik zie het.' Brents blik gleed over haar lichaam. 'Je bent mooi.'

Joan keek verlegen. 'Vind je?'

'Ja, je bent het mooiste en liefste meisje van de hele wereld.'

Joan lachte. 'Was het leuk?'

Brent vertelde enthousiast wat hij gezien had. 'Die zus van jou weet gigaveel van kunst.'

'Mijn zus weet overal gigaveel vanaf,' verbeterde Joan

hem. 'Gewoon eng. Ze is superslim en zit niet voor niets op het gymnasium. Ik kan daar niet aan tippen. Volgend jaar doet ze examen en dan wil ze studeren. Pfff, mij niet gezien.'

Brent knikte. 'Weet je al wat je wilt?' Hij pakte een gevulde koek uit de mand. 'Als je toch je havodiploma hebt, is het zonde om geen hbo-opleiding te doen.'

Joan ontweek zijn blik. 'Eh... ja. Ik wil wel iets doen met toneel en acteren.'

'Hmm, geen slecht idee. Je bent mooi, brutaal en ik heb gezien dat je goed kunt acteren. Is een goede toneelschool niet iets voor jou?'

Joan knikte. 'Ja, dat lijkt me wel wat.'

'Ik weet er wel een paar hier in de omgeving.' Hij gaf haar een knipoog. 'En misschien kan ik een goed woordje voor je doen. Ik ken iemand bij een van de beste toneelscholen van het land. Ik ga morgen meteen bellen.'

Joan verschoot van kleur. 'Joh, het heeft geen haast. Voorlopig ben ik nog druk bezig met het huis.'

'Ze starten ieder halfjaar,' ging Brent verder. 'Dus als je je filmcarrière wilt verstevigen, raad ik je aan om zo snel mogelijk te beginnen. Ik regel het wel, goed? Als het lukt, zit jij over twee maanden op die school.'

Joan knikte. Ze was verstrikt geraakt in haar eigen leugens en nu kon ze niet meer terug. Wat zou hij wel niet van haar denken?

'Mooi,' zei Brent. 'Zonder havodiploma kom je nergens. Mooi gedaan trouwens, *sugar*. En nog zo snel ook. Je hoeft echt niet onder te doen voor je zus!'

Joan keek niet echt opgelucht.

Paniek

'Wanneer mogen wij kijken?' Thijs schraapte de laatste kruimels aardappel van zijn bord. 'Ik wil ook wel naar je nieuwe huis.'

'Kun je daar logeren?' Kleine Bram keek Hanna verlangend aan. 'Mag ik bij jou logeren?'

Hanna kneep in zijn wang. 'Tuurlijk mag jij logeren bij mij. Maar nu nog niet. Het huis is nog niet klaar. Ik woon toch nog hier?'

'O ja.' Bram duwde zijn bord weg. 'Ik lust niet meer,' zei hij.

Kim had al een tijd niets gezegd. Hun ouders hadden zojuist enthousiast verteld over het mooie huis van Hanna en Joan. Nu ze het gezien hadden en met de vader van Joan hadden gepraat, waren ze een stuk geruster.

'Je had het slechter kunnen treffen,' besloot meneer Verduin en Hanna schoot in de lach. 'Slechter? Pap, het is een paleisje.'

'Dat weet ik, lieverd. En ik ben blij dat het zo netjes gaat.

Ik vertrouw erop dat je daar gelukkig zult zijn. Mama en ik zullen je met alles steunen. Op deze manier kunnen we ermee leven. We zullen toch een keertje afscheid moeten nemen van je.'

'Ik ben over twee jaar zestien,' mengde Kim zich ineens in het gesprek. Ze keek naar Hanna. 'Hoeveel kamers zijn er?'

Mevrouw Verduin was Hanna voor. 'Zorg jij nu eerst maar eens voor een goed rapport, jongedame.'

'En laat maar eens zien hoe goed jij in het huishouden bent,' vulde haar vader aan.

Het gezicht van Kim betrok. 'Is dit een soort test of zo?'

'Misschien,' antwoordde haar vader. 'Hanna heeft de afgelopen jaren in ieder geval bewezen dat ze kan koken, wassen, strijken, schoonmaken... Dat kunnen we van jou niet zeggen.'

'Ik heb andere talenten,' zei Kim. 'Ieder mens is uniek, toch pap?'

'Ja, maar hoe uniek je ook bent, je zult later toch de was moeten doen en boodschappen en koken en je kamer opruimen.'

'Hou maar op!' riep Kim. 'Ik hoor het al. Jullie willen mij, als Hanna weg is, gewoon als slaafje opleiden. Nou, mooi niet! Ik ben niet zo'n huishoudtalent als Hanna. Ik ben meer van het creatieve.'

'Prima, dan kook, was en strijk jij creatief. Ben benieuwd.'

Thijs had al die tijd wijselijk zijn mond gehouden, maar ook hij ontkwam niet aan de nieuwe taakverdeling.

'Thijs gaat leren koken,' zei zijn moeder. 'En stofzuigen, en de vuilnisbakken legen.'

'Wie? Ik? Mooi niet!'

'Een echte man helpt mee in het huishouden,' sprak zijn vader. 'En wie kan je dat beter leren dan je moeder? We maken een nieuwe verdeling en ik doe gewoon mee. Eerlijk is eerlijk.'

'Gaaf,' riep Thijs. 'We maken een lijst en verdelen de taken.'

Hanna schoof haar stoel naar achteren. 'Mag ik van tafel? Ik moet mijn presentatie van maandag nog voorbereiden. Ik ga de hele avond door, dus ik wens jullie vast welterusten.'

'Wil je straks geen kopje thee?' vroeg haar moeder.

'Ik pak zelf wel wat, goed?' Ze liep de kamer uit.

'Ik ruim de tafel af,' hoorde ze Thijs zeggen.

'En ik ruim de vaatwasser in,' zei Kim. 'En jij, pap?'

'Eh... en ik... eh... ik laat de hond uit,' riep meneer Verduin.

'We hebben helemaal geen hond!'

De rest kon Hanna niet meer horen. Glimlachend sloot ze de deur van haar kamer en ging achter haar bureau zitten. Ze had haar presentatie al een beetje voorbereid. Het moeilijkste was nog om er een samenhangend geheel van te maken. Al snel was ze verdiept in haar werk.

Na een uur ging haar mobiel. Het nummer was onbekend. Nieuwsgierig nam ze op. 'Met Hanna.'

'*Bonjour, Hanna.*'

Hanna herkende de stem van Pieter meteen. 'Hoi, Pieter, *comment ça va?*'

'Met mij gaat het goed, maar ik hoorde van Jasper dat het met jou minder gaat.'

Heel even wist Hanna niet wat ze moest zeggen. Had Jasper met Pieter gebeld?

'Ik...' Ze zweeg. Wat een rotstreek! Waar bemoeide hij zich mee?

'Hanna, ben je er nog?'

'Ja.' Hanna's stem klonk boos. 'Heeft Jasper jou gebeld dan?'

'Nee, ik belde Jasper gisteren.' Hij wachtte even. 'Sorry, maar ik moest weten of hij zich aan de afspraak hield.'

'O...' Jasper had dus niet gebeld.

'Hij heeft het uitgemaakt?'

'Ja.' Hanna kon het moeilijk ontkennen. Jasper had het kennelijk al verteld.

'Gaat het?' Pieter klonk bezorgd.

'Ja, hoor.' Hanna probeerde zo neutraal mogelijk te klinken. Het ging Pieter niets aan hoe zij zich voelde.

'Ik...' Pieter aarzelde. 'Ik vroeg me af of –'

'Of je nu een kans maakte?' vulde Hanna aan.

'Ja.' Er klonk opluchting in zijn stem. 'Ik weet dat we een afspraak hebben, maar ik moet het weten, Hanna. Ik mis je en ik hoop –'

'Nog niet, Pieter,' fluisterde Hanna. 'Ik kan het nog niet.' Ze sloot haar ogen. 'Er gebeurt van alles hier en ik moet eerst mezelf terugvinden.'

'Ik wil wel helpen zoeken.'

Hanna kon er niet om lachen. 'Pieter, ik maak geen grapjes. Ik vind je heel lief, maar...' Ze stopte met praten. Hoe moest ze dit uitleggen? Ze wist zelf amper wat er allemaal met haar gebeurde.

'Ik begrijp het,' zei Pieter zacht. 'Dan lijkt het me beter als we nu afscheid nemen. Jasper heeft gelijk. Je houdt ons aan het lijntje.'

'Nee, ik –'

'Dag Hanna, het ga je goed. Ik zal je niet meer lastigvallen.'

'Zo bedoel ik het n–'

De gesprekstoon klonk.

'...niet,' fluisterde Hanna nog en ze liet haar arm zakken. Ze voelde de onrust weer haar lichaam binnenstromen. Haar handen trilden en ze werd draaierig. Een golf zuur stroomde vanuit haar keel in haar mond en ze slikte. Kokhalzend rende ze naar het toilet en leegde haar maag.

Zweetdruppels liepen over haar voorhoofd en ze zocht steun tegen de betegelde muur. Hijgend veegde ze haar mond af. Met een snelle beweging trok ze door. Het luchtte op. Langzaam kwam ze overeind en liep terug naar haar kamer. Gelukkig had niemand beneden gemerkt wat er aan de hand was.

De papieren van haar presentatie lagen uitnodigend op haar bureau, maar ze negeerde ze en kroop op haar bed. Met opgetrokken benen en een van haar lievelingsknuffels in haar armen liet ze haar emoties gaan. Ze huilde en haar tranen maakten het overtrek nat. Pieter had nu ook afscheid genomen. Jasper... Pieter... Ze waren weg, voorgoed! Ze had het zelf gedaan, maar twijfelde of ze het niet anders had kunnen oplossen.

Konden ze dan niet even wachten?

Maar waarop? Op haar keus? Kon ze eigenlijk wel kiezen? Na zo'n lange periode wist ze nog steeds niet wie ze moest kiezen. Ze waren allebei anders. Waarom kon je niet gewoon twee vriendjes hebben, of drie?

Hanna realiseerde zich opeens dat ze geen behoefte had aan verkering, maar aan een vriend. Niet iemand die met haar zoende, maar iemand die naar haar luisterde. Iemand die met haar meeleefde, haar begreep en zowel avontuurlijk als lief was. Iemand zoals Brent.

Ze schrok van haar eigen gedachten. Ze dacht terug aan

vanmiddag. Brent was goed gezelschap. Ze vertrouwde hem en kon heerlijk met hem praten over van alles en nog wat. Was ze verliefd op hem?

Hanna glimlachte. Nee, ze wist zeker dat ze niet verliefd was op Brent. Maar hij was wel een goede vriend. Hij luisterde naar haar en dat maakte haar rustig.

Waarom luisterden Pieter en Jasper nooit naar haar? Ze overrompelden haar, maakten hun eigen plannen en verwachtten dan maar dat ze meehobbelde. Mooi niet!

Ze wilde zelf plannen maken. Zelf beslissen.

Hanna ging rechtop zitten. Haar maag reageerde heftig en ze voelde zich slap. Ze zag de papieren van haar presentatie en zuchtte. De laatste keer, echt! Dan zou ze ermee stoppen.

Ze liep naar haar bureau en opende het kistje. Ze schrok. Haar vingers graaiden in het rond, maar vonden niets.

'Nee,' fluisterde ze en haar ogen flitsten heen en weer. De pillen waren op. Hoe kon dat nou? Zo veel had ze er toch niet gebruikt de afgelopen week?

Ze hijgde en voelde haar lichaam trillen. Hoe moest ze maandag die presentatie nou doen? Dit kon niet waar zijn!

Ze liet zich op haar bureaustoel vallen en staarde naar het lege kistje. Haar hoofd draaide en haar hart bonkte in haar keel. Ze was bang. Dit kon ze niet in haar eentje. Als ze de presentatie verknalde, kreeg ze gedonder. Mevrouw Van Balen hield haar in de gaten en ze had geen zin in gedoe thuis. Het ging net zo goed allemaal.

Haar lichaam leek zijn eigen weg te gaan. Hanna verloor de controle over haar ademhaling. Hevig hijgend pakte ze de rand van haar bureau vast. Dit was niet goed. Ze kreeg geen lucht! Wat moest ze doen?

Ze pakte een zakje en hield het voor haar mond. Ze inhaleerde en voelde het plastic tegen haar lippen plakken. In... uit... in... uit...

Langzaam voelde ze zich rustiger worden. In... uit... in... uit...

Hanna legde het zakje weg en bleef roerloos zitten. De papieren van de presentatie lachten haar uit. Hanna sloot haar ogen. Niet aan denken. Ze moest weg. Frisse lucht...

'Het was heerlijk, Hilke.' Brent schoof zijn bord naar achteren. 'Kon je maar mee naar Londen, dan at ik iedere dag zo lekker.'

Hilke ruimde de tafel af en gaf Brent een knipoog. 'Wat ben je toch een slijmbal.'

Brent lachte. Hij had de afgelopen week een goede band opgebouwd met Hilke.

'Gaan jullie nog weg vanavond?'

Joan dronk haar glas leeg. 'Ja, we gaan naar de film.' Ze noemde de titel en sloeg haar arm om Brent heen. 'Lekker romantisch, toch?'

Ze stonden op.

'Zullen we even helpen met opruimen?' stelde Brent voor.

'Nee hoor, gaan jullie maar lekker je gang. Ik red me wel.'

Joan trok Brent met zich mee. 'Fijne avond!'

'Veel plezier samen.'

'Het is maar goed dat we naar de late voorstelling gaan,' zei Joan toen ze op haar kamer waren. Ze pakte Brent vast. 'Hebben we ruimschoots de tijd om ons voor te bereiden.' Ze zoende Brent en streelde zijn rug. Langzaam bewogen ze in de richting van haar bed. Ze voelde Brents handen onder haar shirt en genoot van zijn gretigheid.

Op het moment dat ze zich op het bed lieten vallen, ging haar mobiel. Joan zoende vurig door. Ze had nu geen zin in een gesprek met wie dan ook, maar Brent liet haar los.

'Je telefoon,' zei hij en hij liet zich op zijn rug vallen.

'Niet belangrijk.' Joan drukte haar mobiel uit. 'Waar waren we gebleven?'

Twee seconden later hoorden ze een sms binnenkomen.

'Het schijnt belangrijk te zijn,' zei Brent.

Joan keek naar haar display en zocht de laatste beller op. 'Tessa?'

Brent keek vragend en Joan legde uit dat Tessa haar schoolvriendin was.

'Hebben jullie nog contact?'

Bijna had Joan zich versproken, maar ze herstelde zich snel. 'Ja, we bellen af en toe.' Ze keek naar Brent. 'Mag ik?'

'Tuurlijk, ga je gang.'

Terwijl Joan de sms opende, stond Brent op. 'Ik ga even naar het toilet,' fluisterde hij.

Joan knikte en staarde naar de woorden in haar display:

JE LAAT ME TOCH NIET ZITTEN MET DAT
WERKSTUK?

'Ook dat nog,' mompelde ze. Ze toetste Tessa's nummer in. 'Tes? Ja, met mij. Sorry, maar ik kan nu echt niet komen.'

Joan luisterde en haar gezicht betrok. 'Luister, Tes. Ik ben ziek, nog minstens een week. De school heeft een brief van mijn ouders,' siste ze. 'Zeg maar dat ik het echt niet kon maken. Regel maar uitstel.' Angstig keek ze achterom of Brent al in aantocht was. 'Doe niet zo flauw, zeg!'

Achter zich hoorde ze de deur opengaan. 'Dat is gemeen! Ik kan vanavond echt niet komen. Ziek is ziek. Ik bel je morgen, goed?' Joan drukte haar telefoon uit. De woedende stem van Tessa galmde in haar oren.

'Wie is er ziek?' vroeg Brent.

'Tessa... Tessa is ziek.'

'Erg?'

Joan knikte. Ze wist niet wat Brent precies gehoord had. 'Wil je naar haar toe?'

'Ik ga met jou naar de film,' zei Joan, die haar avond niet wilde laten verpesten door zo'n stom werkstuk.

'We kunnen ook morgen naar de film,' zei Brent begrijpend. 'Doe ik een avondje rustig aan.'

'Maar morgen zouden we gaan verven,' zei Joan. 'Dan zijn we 's avonds kapot.'

'Dan gaan we overmorgen. Maak je niet zo druk.'

Joan dacht na. Tessa was behoorlijk pissig. Ze zouden inderdaad samen dat werkstuk maken. Joan was het helemaal vergeten. Zou Tessa haar echt verraden? Joan snapte dat ze kwaad was, maar zoiets zou ze toch niet doen? Of wel?

Ze kon het risico niet nemen. 'Oké, als jij het niet erg vindt.'

Brent schudde zijn hoofd. 'Ga nou maar. Ik ga Hilke pesten en een keer vroeg naar bed. Ben ik fit voor de kwast morgen.' Hij kuste haar. 'En voor andere dingen. Tot morgen.'

'Mmm,' kreunde Joan die zijn zoen beantwoordde. 'Ik kan niet wachten.'

Hanna sloop de trap af. Haar sporttas bonkte tegen de muur. Heel even bleef ze staan, maar de geluiden uit de huiskamer gingen onveranderd door. Ze pakte haar jas van de kapstok en glipte naar buiten.

Even later fietste ze over de Postjesweg in de richting van het centrum. Er was maar één plek waar ze niet gestoord kon worden en daar ging ze nu naartoe. Gelukkig had ze de sleutel. Haar benen trapten als bezetenen en ze voelde de wind op haar gezicht. Het kon haar allemaal niets meer schelen. Dan maar een jaartje overdoen... of helemaal niet meer naar school. Hanna beet op haar lip. Ze had nooit gedacht dat ze dat nog eens zou denken. Geen school... Klonk best gek. Haar hele leven had in het teken gestaan van leren, repetities, toetsen en huiswerk. School was haar leven!

De prestentatie maandag kon haar nu gestolen worden. Hoe belangrijk was school eigenlijk voor haar? Wat was überhaupt belangrijk in haar leven? Wat... en wie?

Jasper niet, dat was duidelijk. Pieter ook niet, anders had ze het wel anders aangepakt. Kim, Thijs, Bram... Ze hoorden er gewoon bij, maar echt belangrijk? Nee.

Haar ouders dan? Hanna verdrong het beeld van haar ouders. Ze waren heel belangrijk geweest voor haar, maar nu ze volwassen was, kon ze het zelf.

Hanna stoof de Herengracht op. Nog even, dan was ze er.

Een auto passeerde haar. Hanna kon in het licht van de koplampen in de verte de trap met de voordeur zien. Ze remde af en stopte voor de deur. Haar fiets was niet zwaar en enkele seconden later duwde ze haar fiets de hal in en viel de deur achter haar in het slot.

Het was stil in huis. Overal stonden potten verf. Paars, roze, geel en oranje... Ze zouden morgen en overmorgen de muren gaan schilderen.

Hijgend bleef Hanna staan. Dit was haar huis. Hier kon ze zichzelf zijn en hoefde ze geen rekening meer te houden met anderen. Hier kon ze schreeuwen, dansen, springen en lol trappen.

'AAAAAAAAAAH!' Ze schreeuwde en haar stem weerkaatste tegen de lege muren. Met gesloten ogen luisterde ze tot de laatse geluidstrilling was weggestorven. Nog een keer: 'AAAAAAAAAAH!' Er liep een rilling over haar rug. Het voelde heerlijk om alleen te zijn.

Ze pakte haar sporttas en liep naar boven. Tweede verdieping. Ze duwde de deur open en knipte het licht aan. Dit was haar kamer. Langzaam liep ze naar binnen. Er lag zachte, lichtblauwe vloerbedekking op de grond. Precies de kleur die ze had doorgegeven aan Joan. Hanna glimlachte tevreden.

Ze zette haar sporttas neer en haalde er een slaapzak en toilettas uit. Ze rolde de slaapzak uit, vlak voor de openslaande deuren. De ramen waren hoog. Als je omhoogkeek, kon je de sterren zien.

Met kleren en al kroop ze in de slaapzak. Op haar rug, met haar handen gevouwen op haar buik, keek ze naar buiten. De heldere hemel was bezaaid met sterren.

Wat konden mensen zich druk maken om niets, bedacht ze. Het heelal was zo groot. En de mensen maar rondrennen als mieren. Haar problemen leken zo nietig in vergelijking met de enorme ruimte die er was.

Hanna rilde. Ze voelde zich beroerd en besefte dat ze zichzelf voor de gek had gehouden met die pillen. Waarom had ze ze genomen? Toegegeven, ze hadden gewerkt. De dagen dat ze ze had ingenomen waren relaxed en positief verlopen. Natuurlijk had ze de dagen erna gemerkt dat ze des te onrustiger was, maar daar had ze geen aandacht aan besteed. Stom. Nu begreep ze dat de werking steeds korter duurde. De afgelopen dagen had ze zelfs iedere dag een pil genomen. Het fijne gevoel wilde ze vasthouden. Nog voordat ze zich rot begon te voelen, had ze er al weer eentje ingenomen. Zo hield ze de boog gespannen en zichzelf voor de gek.

Hanna kroop in elkaar. Ze had het helemaal verkeerd aangepakt. Morgen die presentatie, het huis... alles kwam op haar af. Ze voelde haar adem versnellen.

O, nee, niet weer! Ze hijgde en haar hart bonkte. Haar lichaam leek verlamd. In paniek zocht ze een zakje om in te blazen, maar ze kon niets vinden. Dan de sporttas maar. Ze kieperde de tas leeg en stopte haar hoofd erin. De openingen naast haar hoofd hield ze met haar handen dicht. In... uit... in... uit...

Het werkte. Langzaam voelde ze haar ademhaling weer rustig worden. Hanna liet de tas los. Ze kon dit niet alleen. Ze wilde dit niet alleen oplossen. Maar wie kon ze vertrouwen? Wie wilde er naar haar luisteren, zonder oordeel? Wie kon ze bellen?

Niet haar ouders. Joan? Nee, die was te druk met zichzelf bezig. Tanja dan? Ze twijfelde. Tanja had het zo druk en via de telefoon was het toch niet zo close. Shanon? Nee! Die zou alleen maar commentaar leveren.

Er schoot haar maar één naam te binnen. Haar linkerhand zocht haar mobiel in haar zak en ze toetste het nummer van Brent in.

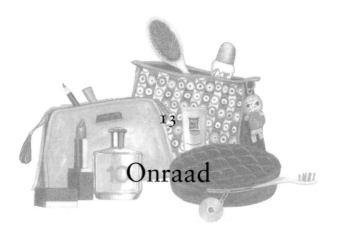

Onraad

'Fijn dat je kon komen.' Hanna sloot de deur achter Brent, die de fiets waarop hij gekomen was onder de trap zette, naast Hanna's fiets.

'Je klonk ernstig.' Brent keek naar het zwakke lichtschijnsel boven in het trapgat. 'Zit jij hier in je eentje?'

Hanna knikte. 'Op mijn eigen kamer.'

'Waarom?'

Hanna opende haar mond, maar de woorden bleven steken. Wat moest ze zeggen? Waar moest ze beginnen?

'Hanna?' Brent legde zijn hand op haar schouder. 'Wat is er gebeurd?'

Het was niet meer te stoppen. Hanna kon alle opgekropte emoties niet langer meer binnenhouden en barstte in snikken uit. Geschrokken sloeg Brent zijn armen om haar heen en Hanna begroef haar gezicht in zijn jas.

'Hanna, wat is er? Heeft iemand je pijn gedaan?'

'Nee...' Ze snotterde er lustig op los en voelde Brents jas langzaam nat worden.

'Wat dan?' Brent klonk echt bezorgd. 'Waarom zit je hier in je eentje? Heb je ruzie thuis?'

Hanna hief haar hoofd. 'Nee, ik... Ik heb het zelf allemaal verpest,' hikte ze. 'Ik...'

Brent duwde haar voorzichtig in de richting van de trap. 'Kom, we gaan eerst naar boven. Deze koude, donkere hal is niks.'

Ze liepen naar de tweede verdieping en Brent begeleidde Hanna naar haar kamer. 'Zo te zien ben je van plan hier te gaan slapen?' Hij wees op de slaapzak onder het raam.

Hanna haalde haar schouders op. 'Misschien.'

Brent duwde haar naar de slaapzak. 'Ga zitten.'

Hanna zakte neer op de zachte stof en veegde haar wang droog.

'Zo, en nu ga jij vertellen wat er aan de hand is,' zei Brent.

Joan baalde als een stekker dat ze de hele avond bij Tessa had gezeten. Het werkstuk was af, dat wel, maar haar humeur was er niet op vooruitgegaan. Gelukkig was Tessa niet boos meer en hadden ze het uitgepraat. Tessa begreep ook wel dat ze een hunk als Brent niet de hele dag alleen kon laten.

'Het is al over elven,' zei Joan toen het werkstuk uit Tessa's printer rolde. 'Ik ga naar huis.'

'Je nieuwe of je oude huis?'

'Ik woon nog thuis, hoor,' zei Joan lachend. 'Ik ben druk bezig met de inrichting. Dat duurt nog wel even.'

Tessa knikte. 'Zullen we nog wat drinken? De anderen zijn in de stad. Ons werkstuk is nu toch af.'

'Nee, ik ga naar huis.' Haar ogen twinkelden. 'Misschien is Brent nog wakker.'

Tessa gaf haar vriendin een knipoog. 'Ik snap het. Hoef je de anderen ook niet uit te leggen wat voor enge ziekte je hebt.'

'De tweewekenziekte.' Joan grijnsde. 'Heel vervelend.'

Ze liepen naar de gang.

'Ik rij een stukje met je mee,' zei Tessa. 'Ik ga nog wel even naar de meiden toe.'

Bij het Museumplein namen ze afscheid en Joan reed door naar huis. Ze zette haar scooter in de garage en legde haar helm op het zadel.

Zo te zien sliep iedereen al. Het licht was overal uit. Joan opende de voordeur en hing haar jas aan de kapstok. Ze sloot de buitendeur aan de binnenkant af en liep naar Brents kamer. Voorzichtig opende ze de deur. In het schemerdonker zag ze het dekbed.

'Brent?'

Er kwam geen antwoord. 'Slaap je?'

Joan keek naar de bobbel in het dekbed en besloot hem te laten slapen. Morgenochtend zou ze hem liefdevol wekken. Ze was zelf ook moe. Zachtjes sloot ze de deur en liep naar haar eigen kamer.

'Wil je wat drinken?' Brent overhandigde Hanna een plastic beker met water. 'Ik kan in de keuken niets anders vinden.'

Het was al laat in de nacht en ze hadden urenlang gepraat. Hanna voelde zich een stuk beter. Brent kon goed luisteren en ze voelde zich veilig bij hem. Hij was een echte vriend.

Hanna, die voor het raam stond, pakte het bekertje aan en nam een slok. 'Het spijt me... Het spijt me zo erg. Nu heb ik ook jouw avond en die van Joan verpest.'

Brent sloeg zijn arm om haar heen. 'Joan is vanavond bij Tessa. Ze was ziek en vroeg of Joan langs wilde komen. Ik heb een briefje voor haar neergelegd. Ze weet waar ik ben.'

Heel even keek Hanna hem aan. 'Tessa ziek?'

'Ja, ik heb tegen Joan gezegd dat ik vroeg naar bed zou gaan. Zieke vriendinnen moet je steunen, toch? En het is maar goed ook, anders was ik hier niet bij jou.'

'Ik heb er zo'n puinhoop van gemaakt,' verzuchtte Hanna.

'Je hebt het jezelf niet makkelijk gemaakt, zusje,' zei hij. 'Maar ik begrijp je wel.' Hij staarde door het raam naar de lichtjes aan de overkant van de gracht. 'Ik heb ook zo'n periode gehad. Alles mislukte, ik voelde me rot en ik had het gevoel dat niemand naar me luisterde.'

Hanna zweeg.

'Ik kreeg foute vrienden, wilde stoer doen en voordat ik het wist, zat ik in een straatgevecht.'

'Echt?' Hanna keek Brent verbaasd aan. 'Jij? In een gevecht?'

'Ja.' Brent glimlachte. 'Het was een nachtmerrie. Ik heb twee dagen vastgezeten.'

'En toen?'

Brent haalde zijn schouders op. 'Toen mocht ik weer naar huis, maar mijn ouders begonnen te zeiken en toen ben ik naar een vriend gegaan. Ouders ongerust, weer politie...' Hij wachtte even. 'Ik geloof dat ik toen besefte dat ik verkeerd bezig was. Die agent begreep me en gaf me koffie. Het gekke was dat die man alleen maar naar me had geluisterd. Dat was genoeg.'

'Ja,' zei Hanna. 'Dat is soms genoeg.'

Brent draaide zich om en pakte Hanna bij haar schouders. 'Wat jij hebt gedaan is gewoon stom, dat hoef ik je niet te vertellen.'

'Nee.' Hanna glimlachte.

'Maar het betekent niet dat nu alles verpest is.'

'Nee,' zei Hanna, maar deze keer klonk ze niet zo zeker van zichzelf. 'Dat weet ik, maar hoe kom ik hieruit?' Ze fluisterde en keek Brent smekend aan. 'Ik kan mijn gedachten gewoon niet stoppen. Steeds als ik denk dat het over is, komt het weer.'

'Afleiding,' zei Brent. 'Zorg dat je afleiding hebt. Steeds als je je down gaat voelen, ga je...' Hij dacht na. 'Springen.'

'Springen?' Hanna's gezicht betrok. 'En dat helpt?'

'Weet ik veel. We kunnen het proberen.' Hij pakte haar handen en sprong. 'Kom op, springen.'

Hanna hupte iets omhoog.

'Nee, springen! Hoger... kijk, zo!'

Even later sprongen ze op en neer door de kamer. Hanna schoot in de lach en voelde al haar spieren tegenstribbelen.

'Doorgaan!' riep Brent en hij draaide een rondje. Hanna greep zijn armen vast. 'Ik kan niet meer,' riep ze. Hijgend bleef ze staan met haar handen op haar knieën. 'Ik kan echt niet meer.'

'Hmm,' zei Brent. 'Aan je conditie mag je wel eens werken, zusje!'

'Het helpt wel,' hijgde Hanna en ze keek op. 'Coach.'

'Met muziek gaat het vast beter.' Brent liep naar de deur. 'Ik ben zo terug.'

Even later zette hij de cd-speler neer en stopte de stekker in het stopcontact. De stem van Madonna schalde door het huis.

'Lekker hard,' riep Brent. 'Daar gaan we weer.' Hij pakte Hanna beet en danste met haar door de kamer. 'Eén, twee, drie... één, twee, drie...'

Lachend zwierde Hanna in zijn armen. Dit voelde goed. Ze wilde haar hele verdere leven dansen. Nergens meer aan denken.

Na een paar minuten kon Hanna niet meer en ze liet zich op haar slaapzak vallen. 'Stop! Oké, je hebt gelijk. Springen helpt.'

Brent kwam naast haar zitten op de grond. Ook hij hijgde. 'Ik heb nog meer ideeën, hoor! Behalve springen, kun je natuurlijk ook –'

'Stop! Genoeg,' riep Hanna lachend. 'De boodschap is duidelijk.'

'...afleiding zoeken.' Brent grijnsde.

'Afleiding zoeken,' herhaalde Hanna.

Brent keek op zijn horloge. 'Het is drie uur. *Time flies when you're having fun.*'

'Je moet naar huis,' zei Hanna. 'Joan...'

'Die slaapt allang. Ik bel haar morgenvroeg wel om te vertellen dat we hier zijn.'

'Maar...'

Brent snoerde haar de mond. 'Sssst, ik laat jou hier niet alleen. Het is te laat om je naar huis te sturen. We bellen allebei morgenvroeg naar huis, goed?'

Hanna keek naar haar slaapzak.

'Ik ben al warm van mezelf.' Brent lachte. 'Kruip jij lekker in de slaapzak, dan kom ik tegen je aan zitten.' Hij schoof naar achteren en leunde tegen de muur.

Even later lag Hanna met haar hoofd op zijn bovenbenen. 'Dankjewel,' fluisterde ze.

'Geen dank. Doe je ogen maar dicht.'

'Welterusten.'

'Slaap lekker.'

De volgende morgen werd Joan wakker van de vogeltjes in de tuin. Ze rekte zich uit en gaapte. Ze had heerlijk geslapen.

Ze sloeg haar dekbed open en ging rechtop zitten. Haar voeten schoven in haar slippers. De mobiel op het tafeltje naast haar bed trilde. Een sms.

ZAG JE ZUS MET BRENT. LEKKER DING. X
TESSA

Joan fronste haar wenkbrauwen. Was dit een grap? Waar sloeg dit op? Wat moest Brent met haar zus? Razendsnel toetste ze het antwoord in.

HOE BEDOEL JE?

Al snel kwam het antwoord.

B EN HANNA VANNACHT GEZIEN IN NIEUWE
HUIS. DANSEND. WAS JIJ ER OOK? BEN JE
TOCH NOG GAAN STAPPEN? FLAUW HOOR! XX

Joans gezicht betrok. Brent en Hanna in het huis? Vannacht? Maar dat kon helemaal niet. Brent lag hiernaast te slapen. Een angstig gevoel bekroop haar.

Ze liep naar Brents kamer en opende de deur. 'Brent?' In het daglicht dat door de gordijnen naar binnen scheen, zag ze dat het dekbed op een hoop lag. Brent was nergens te bekennen.

'Nee!' Joan rende naar het dekbed en sloeg met haar vuisten tegen de stof. 'Vuile...' Ze stopte. Dit zou ze Brent betaald zetten. En Hanna ook. Hoe durfden ze?

Tessa had ze gezien... in het nieuwe huis. Wedden dat ze daar nog steeds waren? Joan griste wat kleren uit haar kast en kleedde zich aan. Zonder zich op te maken stoof ze de deur uit.

'Wat zullen ze verrast zijn!' Tanja propte een broek in haar koffer. 'Echt vet dat we weg kunnen, al is het midden in de nacht.'

Parrot zette zijn koffer in de gang. 'Schiet je wel op?' zei hij. 'We moeten over een uur op het vliegveld zijn.'

'Ja, ja.' Tanja vloog naar de badkamer, griste haar tandenborstel van de wasbak en pakte haar borstel. 'Ik ben al klaar. Waar is Mike?'

'Die staat buiten op ons te wachten.'

Tanja klikte haar koffer dicht en pakte haar jas. '*Ready.*'

Even later stonden de koffers in de achterbak van de auto en reed Mike Sloanstreet uit. Tanja voelde zich opgelaten. Het bericht van Mike gisteravond kwam totaal onverwachts. Hij had het interview verzet en het optreden van overmorgen kon nog worden gecanceld zonder contractuele gevolgen. De organisatie was er eigenlijk wel blij mee, want zo konden ze Tanja uitnodigen voor een groot liefdadigheidsconcert volgende maand. Twee vliegen in één klap. Tanja had haar broer bedankt met een omhelzing. Nu konden ze een paar dagen naar Joan en Hanna. Ze was zo nieuwsgierig naar hun nieuwe huis.

'*Just in time,*' zei Mike toen ze het vliegveld op reden. Tanja bleef het bijzonder vinden dat Parrot een privéjet had en dat ze zo in konden stappen. De hangar stond open en Mike reed de auto naar binnen.

Het vliegtuig stond al klaar. De piloot en de bemanning begroetten hen en hielpen met de koffers.

Tanja stapte als eerste in. Ze wist de weg. Parrot volgde haar. De motoren van het vliegtuig begonnen te ronken. 'Waar blijft Mike?' vroeg ze toen ze haar gordel dichtklikte.

Mike stapte in en sloot de deur achter hem. '*Let's go!*'

Tanja keek door het kleine raampje naar buiten. In het donker zag ze de lichten van een ander vliegtuig langzaam uit de lucht naar beneden komen. Vlak naast haar eigen vliegtuig stond een man te zwaaien met twee fluorescerende vlaggen. Ze probeerde de vlaggencombinaties te begrijpen, maar gaf het op toen ze haar eigen vliegtuig in beweging voelde komen.

'Mogen we al opstijgen?' vroeg ze. 'Dat is snel.' Ze was gewend dat de luchtverkeersleiding hun kleine vliegtuig geen voorrang gaf bij het opstijgen, maar deze keer leek het vlot te gaan.

Terwijl ze naar de vertrekbaan reden, dacht Tanja aan de verraste gezichten van Hanna en Joan als ze haar zouden zien. Parrot had het geen goed idee gevonden om zonder aankondiging langs te komen. 'Ze kunnen wel helemaal geen tijd hebben,' had hij gezegd. 'En wie weet zitten ze op school.'

Maar Tanja had hem ervan overtuigd dat het een verrassing moest blijven. Ze kon niet wachten. Ze zouden vroeg in de ochtend landen en dus ruimschoots op tijd in het nieuwe huis zijn. Ze had haar zus van de week aan de telefoon aardig uitgehoord en volgens het werkschema zouden Hanna, Joan en Brent vandaag gaan schilderen.

Tanja glimlachte. Eindelijk zou ze haar zussen weer zien. Na hun vertrek uit Londen had ze hen echt gemist. Natuurlijk had ze Joan en Hanna regelmatig gebeld en was ze op de hoogte van alles, maar het bleef toch op afstand. Ergens diep vanbinnen maakte ze zich zorgen om Hanna. Haar stem klonk de afgelopen tijd soms zo down, zo vlak... alsof er iets was. Ze had meerdere malen gevraagd of het goed ging en had steevast te horen gekregen dat er niets aan de hand was. Toch bleef Tanja met een onbestemd gevoel zitten.

Ook Joan had ze vaak gesproken. Dat Joan twee weken spijbelde en Brent voor de gek hield, wist ze. Hoe dom ze het ook vond en hoe vaak ze dat ook gezegd had tegen haar zus, Joan ging toch haar eigen gang. Wel cool dat ze zo verliefd was op Brent. Brent was *all right*. Ook Parrot en Mike konden goed met hem overweg. Hij kwam regelmatig langs. Zijn kantoor was vlak bij hun huis.

Dat Brent nu in Amsterdam was, bij Joan, was alleen maar gezellig. Konden ze met zijn allen gaan stappen. Tanja wist zeker dat hij gek was op Joan. Misschien was hij de jongen die haar kon temmen? Zou ze het deze keer niet verprutsen met haar verwende gedrag?

Ze zakte onderuit in haar leren stoel. Na dat gedoe met Danny, Terry en al die andere jongens met wie ze was wezen stappen, miste ze echt contact.

Danny... Ze slikte. Hij had niet meer gebeld sinds hun laatste gesprek waarin hij het uitmaakte. Een paar keer had ze met haar mobiel in de hand gestaan, maar steeds had iets haar tegengehouden. Was het haar trots? Of was het goed zo? Ze was er nog steeds niet uit. Ze miste zijn warmte, humor en lieve woordjes, maar wist ook dat als ze hem belde, hij meer verwachtte dan alleen een praatje. Waarom deden jongens ook altijd zo moeilijk?

De afgelopen tijd had Tanja zich prima vermaakt in het uitgaansleven in Londen, maar echte vriendschap had ze niet ervaren. Het waren vluchtige, gezellige ontmoetingen.

Vaak wist ze de volgende dag niet eens meer de naam van zo'n jongen waar ze uitbundig mee gedanst had. Zoenen... daar was ze nu ook een expert in. Nu ze beroemd was, kwamen de jongens vanzelf op haar af. Ze hoefde er niet eens moeite voor te doen. En toch zoende niemand zo lekker als Danny. Tanja zuchtte en dacht terug aan haar tijd met hem.

Danny liet merken dat hij op haar viel en nam de tijd. Hij was geïnteresseerd in haar. Dat kon je van al die andere jongens niet zeggen. Die wilden haar om te showen. Konden ze de volgende dag zeggen dat ze met Tanja hadden gezoend. Pfff, zielig hoor!

Waar zou Danny nu zijn? En met wie? Een steek van jaloezie schoot door haar lijf. Zou hij al een ander meisje hebben? Ze kon het zich niet voorstellen. Hij hield van haar, toch?

Met een schok bedacht ze dat zij wel met andere jongens was losgegaan. Ze wist dat het niets voorstelde, maar dat wist Danny niet. Als hij nou ook... Ze moest er niet aan denken. Geen wonder dat hij kwaad was toen hij die foto in de krant zag staan van haar en die jongen. Ze moest het hem uitleggen. Straks, later... als ze terug was in Londen. Ja, dat zou ze doen.

Joan reed als een bezetene over de Prins Hendrikkade. Wat dacht die gozer wel niet? Als Joan een avondje weg is, versier ik Hanna? Joan knipperde met haar ogen, zodat de tranen wegstroomden. Ze voelde de druppels langs haar wang naar de zijkant van haar helm glijden. Voor het eerst van haar leven voelde ze pijn... pijn om een jongen. En wat voor eentje. De leukste, liefste, knapste... Ze kneep in haar stuur. 'Eikel!'

Haar stemgeluid verdween in haar helm.

Een auto toeterde en Joan gaf haar scooter een slinger. Net op tijd ontweek ze een fietser. Ze dacht terug aan al die keren dat Hanna en Brent samen waren. Hun blikken, zijn lieve opmerkingen. 'Zusje,' fluisterde ze. Dat zei hij steeds tegen Hanna. Hoe brutaal kon je zijn? En dan Hanna! Ze had hem gewoon met open armen ontvangen met haar lieve snoetje. Joan remde voor een stoplicht. Hanna kon meteen vertrekken. Ze bleef maar lekker in haar eigen kippenhok zitten thuis. Net goed!

Het stoplicht werd groen en Joan trok op. Ze zou ze eens flink de waarheid vertellen. Ze liet zich niet zomaar aan de kant zetten. Ze reed de Herengracht op. Ze zou het Brent nooit vergeven. Nooit! En Hanna al helemaal niet. Die had misbruik gemaakt van haar. Terwijl Joan spijbelde van school om het huis zo snel mogelijk klaar te hebben, ging Hanna gewoon naar school en verleidde intussen haar vriendje. Hoe durfde ze!

Die arme Brent... Hij kon natuurlijk niet op tegen haar aandachttrekkerij. Hanna kennende kreeg ze iedere jongen die ze wilde. Het afgelopen jaar had ze al drie jongens gedumpt. Eigenlijk was Hanna helemaal niet zo naïef als ze zich voordeed. Welnee. Joan kon zich wel voor haar kop slaan dat ze zich zo had laten inpalmen door die trut. Haar eigen zus, nota bene!

Ze remde voor de deur en zette de motor af. Ze trok haar helm van haar hoofd en rende het trappetje op.

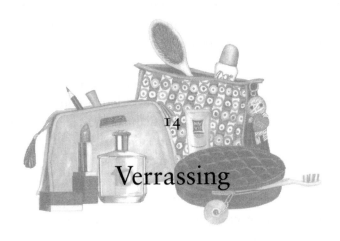

14

Verrassing

Hanna opende haar ogen en hoorde vreemde geluiden. Waar was ze? Een beetje versufd door haar diepe slaap keek ze om zich heen. De twee lange benen van Brent staken langs haar oor de kamer in.

Met een schok kwam ze overeind. Ze was in haar nieuwe huis, in haar eigen kamer... met Brent. Langzaam kwamen de beelden van de vorige avond terug. Hanna glimlachte toen ze terugdacht aan het gehups en gespring in de kamer op de muziek van Madonna. Gekker had ze het niet kunnen bedenken.

Voorzichtig kroop Hanna uit haar slaapzak en liep de kamer uit. Het toilet was op de gang. Even later kwam ze terug in haar kamer. Brent sliep nog. Hij was opzij gezakt en steunde met zijn hoofd tegen de balkondeur aan.

Hanna liep op haar tenen over het tapijt en pakte haar toilettas. Een frisse douche kon geen kwaad. Ergens beneden lagen wel wat handdoeken. Ze liep de trap af naar beneden. Brrr, de marmeren vloer in het trappenhuis voelde koud aan.

In de keuken vond ze twee theedoeken en met een spurt was ze weer op de tweede verdieping. 'Nu maar hopen dat het warme water het doet,' mompelde ze. Ze verdween in de badkamer en deed de deur achter zich op slot.

Joan opende de voordeur en stapte de gang in. Het was stil. Haar blik viel op de twee fietsen in de hal onder de trap. Ze herkende de fiets van Hanna en haar vaders fiets. 'Brutaal, hoor,' mompelde ze. Brent had haar vaders fiets uit de garage gebruikt om hier te komen.

Heel even aarzelde Joan. Ze kon nu nog terug. Doen of er niets aan de hand was en naar huis gaan. Afwachten en luisteren naar de smoezen van Brent en Hanna.

Ze verbeet zich. Nee, ze zou ze op heterdaad betrappen.

Ze liep de trap op naar de eerste verdieping. Boven zich hoorde ze geluid. Voetstappen. Een deur ging dicht. Heel even bleef Joan staan. Toen was het stil.

Voorzichtig liep ze verder, naar de tweede verdieping. Ze hoorde water lopen. Er stond iemand onder de douche. Ook dat nog!

Op de overloop bleef ze staan. De deur van Hanna's kamer stond open. Zachtjes liep ze naar de deur en gluurde naar binnen. Haar adem stokte. Brent lag te slapen. Half onderuitgezakt en met zijn mond open, haalde hij hoorbaar diep adem.

Joan wist niet goed wat ze moest doen. Hanna stond natuurlijk onder de douche. Ze keek naar Brent. Hij had zijn kleren aan. Goed teken of niet?

Met kleine stappen liep ze de kamer in. Zolang Hanna onder de douche stond, kon ze Brent alleen confronteren met zijn bedrog. Ze knielde neer en bekeek Brents gezicht. Dat iemand met zo'n lief gezicht zo gemeen kon zijn. Ze ging zitten en kruiste haar benen. Zwijgend staarde ze naar de jongen op wie ze stapelgek was. Waarom viel ze altijd op de verkeerde mannen?

Ze boog voorover en bracht haar gezicht vlak bij dat van Brent. 'Wakker worden. De boze heks is er weer.'

Brents adem stopte en hij pruttelde wat. 'Eh... wat?' Hij opende zijn ogen en keek recht in haar gezicht. 'Joan?'

Met een ruk zat hij overeind. Een snelle blik op zijn horloge volgde. 'Wat doe jij hier nou zo vroeg?'

'Kan ik beter aan jou vragen,' zei Joan en ze voelde zich sterk. Ze zou zich niet laten afschepen met een of andere stomme smoes.

Brent streek door zijn haren en keek naar de openstaande deur waar de douchegeluiden van Hanna klonken. 'Het is niet wat je denkt,' zei hij.

Joan glimlachte wrang. 'Wel erg cliché, vind je niet?' Haar gezicht stond op onweer.

'Je bent boos, begrijp ik?' mompelde Brent.

'Zacht uitgedrukt,' antwoordde Joan met een strak gezicht.

'Ik...' Brent keek naar de lege slaapzak. 'Hanna had het gisteravond erg moeilijk en...'

'Hanna staat onder de douche,' beet Joan hem toe. 'Jullie hebben hier samen geslapen!'

Brent schudde zijn hoofd. 'Je begrijpt het niet. Het gaat niet goed met Hanna. Ze is in de war.'

'In de war?' Joan smeet haar tas door de kamer en hief haar armen. 'In de war? Dus zo noemen jullie dat. Jij...' Ze wilde haar vuisten op zijn borstkas laten dreunen, maar Brent was haar voor.

'Ho, ho, ho...' hij pakte haar armen beet. 'Even rustig, dame. Ik wist toch niet dat jij het wist. Hanna is je zus. Een beetje begrip is hier wel op zijn plaats.'

'Begrip?' Joan hapte naar adem. 'Jij durft! Begrip is wel het laatste wat je van mij kunt verwachten. Je hebt hier geslapen!'

'Ja, sorry! Maar Hanna had me nodig.' Brent streelde haar wang. 'Dat snap je toch wel? Ik was ook veel liever bij jou geweest, maar ik kon haar zo toch niet alleen laten?'

'Joan, wat een verrassing!' Hanna stapte de kamer in met een theedoek om haar haren geslagen. Ze droeg een T-shirt dat net over haar heupen viel. 'Wat doe jij hier?'

Het verbaasde gezicht van Hanna maakte Joan alleen maar bozer. 'Dat vroeg Brent ook al. Hebben jullie soms afgesproken wat je zou zeggen?'

Hanna liep naar haar sporttas en pakte haar spijkerbroek. 'Je bent vroeg,' zei ze terwijl ze haar been in een van de pijpen wurmde. 'Wel lekker, kunnen we meteen beginnen.'

'Beginnen?' krijste Joan. 'Waarmee? Met ruziemaken?'

'Nou, nee... met verven.' Hanna rekte zich uit. 'Ik heb er zin in en ik beloof je dat ik niet meer chagrijnig zal zijn. Van nu af aan ben ik weer de oude, vrolijke, beetje saaie Hanna.' Ze keek naar Brent. 'En dat allemaal door Brent. Goed, hè?'

Joan liet zich achterovervallen op het tapijt. 'Jullie zijn gek! Knettergek!' Ze voelde haar ogen prikken.

'Schatje...' Brent kroop naar Joan toe en streelde haar haren. Zijn gezicht betrok toen hij haar zag huilen. 'Je huilt.'

'Ja, vind je het gek?' Joan had zichzelf niet meer in de hand. Ze moest hier weg. Ze duwde Brent opzij en rolde op haar zij. Ze stond op en liep naar de deur. 'Ik haat jullie... allebei!' Ze pakte de deurknop. 'En waag het niet om achter me aan te komen.'

Met betraande ogen stormde ze de trap af. Haar schouder stootte tegen de muur, maar ze merkte het niet. Ze wilde hier zo snel mogelijk vandaan. Weg van die twee, weg van de vernedering.

Ze opende de deur en bleef geschokt staan. 'Tanja?' Ze haalde haar neus op en veegde haar tranen weg. In haar ooghoeken zag ze ook Parrot en Mike beneden op straat staan. Parrot betaalde net de taxi en Mike haalde de koffers uit de achterbak. Droomde ze?

'Joan... wat is er met jou? Ben je gevallen?' Tanja omarmde haar zus.

Parrot en Mike, die niets gemerkt hadden van Joans emoties, kwamen het trappetje op gelopen.

'*Beautiful house*,' zei Mike en hij keek omhoog naar de voorgevel. '*Really beautiful.*'

Tanja duwde Joan naar binnen en Parrot en Mike volgden. 'Zo te zien komen we net op tijd,' zei ze zacht. Nu hadden ook Parrot en Mike door dat Joan van slag was. Ze keken haar bezorgd aan.

'Ik wilde net weggaan,' stamelde Joan. Ze keek omhoog langs de trap. 'Ik –'

'Ben je alleen?' Parrot had de blik van Joan gezien.

Joan wees naar de deur. 'Zullen we ergens wat gaan drinken?'

Op dat moment klonken er voetstappen. 'Joan?' De stem van Hanna schalde door het huis. 'Joan, wacht!'

Er klonk een tweede paar voetstappen en ook Brent riep Joans naam.

Parrot fronste zijn wenkbrauwen. 'Brent?'

Joan wist niet waar ze moest kijken.

Hanna en Brent renden de trap af en keken verbaasd naar het welkomstcomité dat in de hal stond.

'Parrot?' Hanna kon haar ogen niet geloven. Ze gaf een schreeuw en sprong in haar vaders armen. 'Wat een verrassing.' Ook Mike kreeg een knuffel.

Tanja liet Joan los en begroette haar andere zus. '*Surprise!*' riep ze. Terwijl Hanna en Brent iedereen begroetten, sloop Joan naar de voordeur. Ze moest zo snel mogelijk weg. Hoe blij ze ook was dat Parrot, Mike en Tanja er waren, ze kon het niet verdragen dat iedereen aanwezig was bij deze schertsvertoning.

'Hé, hé...' Joan voelde dat iemand haar arm vastpakte. Het was Brent. 'Waar ga jij heen?'

'Interesseert je dat dan?' siste ze. Met een schuin oog keek ze naar Hanna en Tanja die druk met Parrot en Mike aan het kletsen waren. Ze letten niet op haar en Brent.

Brent trok Joan mee naar de keuken en hield haar stevig vast. 'Nu ga jij eens even heel goed naar mij luisteren!'

Joan worstelde om los te komen, maar Brent liet haar niet gaan. 'Joan... stop!'

Zijn greep verslapte en Joan rukte zich los. 'Ik hoef niet meer te luisteren!' siste ze. 'Ik ben niet gek.'

Brent herwon zich. 'Je hebt het mis! Hanna en ik...' Hij schudde zijn hoofd. 'Hoe kun je dat nou denken?'

'Ontken het nou niet,' zei Joan. 'Dat maakt het alleen maar erger.'

Brent begon te lachen. 'Lieve Joan, hoe kan ik bewijzen dat ik nog steeds heel veel van je hou?'

'Hou op,' riep Joan. 'Dat heeft toch geen enkele betekenis meer, dat "houden van" van jou.'

Brent pakte haar gezicht tussen zijn handen en drukte zijn lippen op haar mond. Zijn zoen was gretig en vurig. Joan was totaal overrompeld en zoende terug. Langzaam ontspande ze zich en ze voelde Brents armen om haar heen.

Haar gedachten tolden nog boos rond, maar haar lichaam gaf zich over.

'Ik hou van jou,' fluisterde Brent toen hij haar even losliet. 'Ik heb niets met Hanna.'

'Je was hier de hele nacht,' stamelde Joan die nu absoluut niet meer wist wat ze moest denken en voelen.

'Je zei dat je het wist.'

'Wat?'

'De problemen van Hanna.'

'Wat voor problemen?' vroeg Joan.

Brent vertelde in het kort wat er aan de hand was. 'Ze belde mij in paniek op,' besloot hij zijn verhaal. 'Ze was van huis weggelopen en zat in haar eentje hier. Jij was al weg, naar Tessa. Heb je mijn briefje niet gelezen?'

Joan schudde haar hoofd.

'We hebben tot diep in de nacht gepraat en besloten hier te blijven slapen. Echt, je moet me geloven. Hanna is niets meer voor mij dan een zusje... jouw zus.' Hij pakte haar neus. 'Gekkie, wat haal je je allemaal in je hoofd?'

Joan keek naar de hal waar haar zussen nog steeds met elkaar aan het praten waren. Ze bekeken de potten verf en lachten. 'Ik schaam me dood,' zei Joan. 'Ik dacht...'

'Sssh,' sprak Brent en hij grijnsde. 'Dus je was jaloers?'

'Helemaal niet,' probeerde Joan zich te redden, maar ze wist dat Brent haar niet geloofde.

'Een beetje jaloers zijn is goed,' fluisterde Brent.

'O ja?' Joan kwam dicht bij hem staan. 'Ben jij wel eens jaloers geweest?'

'Gisteren nog,' zei Brent.

'Gisteren?'

'Toen ik je zag praten met die man van de verfwinkel. Hij vrat je bijna op.'

Joan dacht na. 'Die man met dat brilletje?'

'Ja, je stond gewoon te flirten met hem.'

'Nietes.'

'Welles.'

'Ik probeerde alleen maar wat van de prijs af te krijgen.'

'Dat noem ik flirten.'

Joan lachte. 'Ik maak gewoon gebruik van mijn vrouwelijke charmes.'

'Ik hoop niet dat je dat in alle winkels doet,' zei Brent.

Joan legde haar hoofd tegen zijn borst. 'Ik ben gek op je, dus je hoeft echt niet bang te zijn.'

'Jij ook niet,' fluisterde Brent. Hij streelde haar haren. 'Laten we één ding afspreken.'

'En dat is?'

'Dat we altijd eerlijk tegen elkaar blijven, ook als er echt iets aan de hand is. Ik hoor het liever van jou dan van een ander.'

Joan knikte. 'We spreken gewoon af dat we altijd verliefd blijven.'

'Op elkaar?'

'Ja, dombo... op elkaar natuurlijk.' Joan prikte in zijn zij. 'Doe niet zo bijdehand.'

'Wie is hier nu bijdehand?' Brent kietelde haar en Joan begon te gillen. 'Stop, hou op.'

Parrot keek om. 'Komen de tortelduifjes er ook bij? We willen nu wel eens jullie huis zien.'

Joan liep achter Brent aan de gang in. Ze wist niet goed hoe ze zich moest gedragen. Brent deed alsof er niets aan de hand was. Joan keek naar Hanna, maar die zei niets.

'*Hey, Joan... everything all right?*' Mike kwam naar haar toe gelopen.

'*She's fine,*' zei Brent en hij gaf Joan een kus op haar wang. '*Little bit tired.*'

'Dat kan ik me voorstellen,' zei Parrot. 'Jullie hebben zo hard gewerkt en dan ook nog naar school.'

Joan kreeg spontaan een hoestaanval.

'Gaat het?' zei Brent bezorgd en hij klopte zachtjes op haar rug.

Hanna keek naar Joan en Brent, maar zei niets. Ook Tanja keek bezorgd naar Joan.

Joan knikte. 'Ja, griepje onderweg, denk ik. Sorry!'

'Ik weet er alles van,' zei Tanja. 'Verhuizen doe je niet zomaar. Ik was ook behoorlijk op na mijn verhuizing.'

Brent liet Joan los en gebaarde naar Mike, Parrot en Tanja. 'Hebben jullie de keuken al gezien?' Terwijl hij met het gezelschap naar de keuken liep, keek hij snel achterom naar Joan en gebaarde met zijn hoofd naar Hanna.

Joan wist precies wat hij bedoelde. Ze liep naar Hanna. 'Eh, sorry! Ik was eh... even niet mezelf.'

'Zoiets begreep ik al,' antwoordde Hanna en ze nam haar zus onderzoekend op. 'Het had toch niets te maken met mij en Brent en dat we...'

'Nee, nee, natuurlijk niet. Ben je gek!'

Hanna glimlachte. 'Je hoeft niet bang te zijn. Brent is gek op je.'

'Ja.'

'En ik zou nooit –'

Joan legde haar hand op Hanna's mond. 'Ssst, niet zeggen. Ik ben blij dat Brent je heeft kunnen helpen. Maar volgende keer kom je naar mij, oké?'

Hanna boog haar hoofd. 'Ik –'

'Iedereen doet wel eens stom,' ging Joan verder. 'Zelfs jij!'

'We gingen vandaag verven,' zei Brent die terug de gang in kwam lopen. Hij wees op de blikken verf. 'Er zijn genoeg kwasten, dus...'

Parrot, Mike en Tanja kwamen achter hem aan. 'Lekker dan,' riep Tanja. 'Kom ik helemaal uit Londen overvliegen, kan ik aan de bak.'

Mike, die het niet zo goed begrepen had, keek met een schuin oog naar Tanja. '*Please explain*,' zei hij. '*What's* "aan de bak"?'

'Of je worst lust,' riep Hanna en ze trok haar broer mee naar de voordeur. 'We gaan naar de bakker, broodjes halen.'

'Aaah, bakker... dat woord ken ik,' zei Mike. 'Lekker.'

15
Een nieuw begin

'We zijn druk bezig, mam.' Hanna versnelde haar pas. 'Ja, ik ben vanochtend vroeg al weggegaan. Maar ik ga nu ophangen, want ik loop de bakkerij in.' Ze knikte. 'Ik bel, goed? Dag.'

Ze was blij dat haar moeder haar vannacht niet had gemist. Het was ook allemaal te gek voor woorden. Wat had ze toch gedaan?

Nu ze weer nuchter door de frisse buitenlucht liep, vond ze zichzelf maar een zwakkeling. Hoe had ze zich zo kunnen laten leiden door haar gevoelens? Hoe belangrijk was het om perfect te zijn? Brent had haar vannacht een spiegel voorgehouden. Ze hoefde niet perfect te zijn. Ze moest gewoon zichzelf zijn. Hanna, zestien jaar... bijna zeventien. Scholiere en meer niet.

Brent had haar gewezen op haar vluchtgedrag. 'Ik herken veel,' had hij gezegd. 'In plaats van bij jezelf te blijven, zoek je het in andere dingen, zoals jongens, pillen en als je niet uitkijkt nog veel ergere dingen. Blijf bij jezelf. Kijk naar wat jij wilt... Doe niet wat je denkt dat anderen willen.'

Hanna had het eerst niet willen begrijpen. Wat kletste Brent nou? Hij had makkelijk praten. Zijn leventje was toch op orde?

Pas toen Brent vertelde van de stommiteiten en missers in zijn leven en hoe hij daaruit was gekomen, begon ze te beseffen dat ze niet de enige in de wereld was met problemen. Nu schaamde ze zich dat ze haar problemen zo had opgeblazen. Wat nou, problemen? Ze maakte zich druk om niets. Het milieu, dat was pas een probleem. De hongersnood in de wereld, de oorlogen... daar moest je je druk om maken als mens. Niet om een negen of een tien voor je toets. Hoe leuk dat ook was, een zes was ook goed.

'Dacht je nu echt,' had Brent gevraagd, 'dat er later gevraagd wordt naar je cijfers? Welnee! Ze willen een diploma zien, dat is genoeg. En of je nu met tienen of met zessen bent geslaagd, een diploma blijft een diploma. Het gaat erom wat je met je kennis doet!'

Hanna stapte de winkel binnen. Mike had al een nummertje getrokken en keek verheerlijkt naar de Hollandse lekkernijen in de vitrine.

Met veel te veel kwamen ze terug in het huis, waar de rest al was begonnen met schilderen. Parrot stond in zijn shirt onder aan de trap en schuurde de trapleuning. Zijn kleding en haar zaten onder het witte stof.

'Je lijkt wel een spook.' Hanna liep lachend door naar de keuken waar ze de zakken met belegde broodjes, tompoezen en croissantjes neerlegde. Mike zette drie flessen verse jus d'orange naast de zakken op het aanrecht.

'Eten!' De stem van Hanna galmde door het lege huis.

Even later stond iedereen rondom het kookeiland. Alleen het gekraak van de broodzakjes was te horen.

'Hoe is het op school?' Parrot keek naar Hanna en Joan. 'Is dat wel te combineren met deze verhuizing?'

Hanna verslikte zich. 'Doe niet zo vaderlijk, zeg!' zei ze toen ze het stukje brood had doorgeslikt. 'Je vraagt anders ook niet naar schoolprestaties. Dat komt allemaal goed.'

'Je moest je Grieks toch ophalen?'

Joan reikte Brent nog een broodje aan. Ze was blij dat Hanna het gesprek naar zich toe trok, maar helemaal gerust was ze niet. Als Parrot een beetje doorvroeg, viel ze gigantisch door de mand. Ze keek naar Brent die zo te zien niets in de gaten had. Wat moest ze doen? Ze hadden elkaar net beloofd om geen geheimen voor elkaar te hebben en zij verbrak die belofte al meteen.

'En jij, Joan?' Parrot wendde zich tot zijn andere dochter.

'Ze is druk bezig met een studie kiezen,' zei Brent en hij trok Joan naar zich toe. 'Ik heb voorgesteld om een goed woordje voor haar te doen bij een van de beste toneelacademies.'

'O?' Parrot fronste zijn wenkbrauwen. 'Ik –'

Joan viel hem in de rede. 'Ja, lief hè? Brent gaat mij voordragen. Het lijkt me geweldig om straks zo'n opleiding te doen.' Ze legde het accent op het woordje 'straks' en hoopte vurig dat haar vader er genoegen mee zou nemen.

'Iemand nog wat jus?' Hanna stond met een van de flessen jus d'orange te zwaaien. 'Er is genoeg.'

De aandacht was afgeleid en Joan haalde opgelucht adem. Voorlopig was ze gered, maar deze situatie hield ze natuurlijk niet lang vol nu iedereen bij elkaar zat. Ze moest Brent de waarheid vertellen. Maar hoe? En wanneer?

'Iemand koffie?' Brent liep naar het apparaat in de hoek

van de keuken. 'Het is wel geen espresso, maar het smaakt naar koffie.'

Hanna verfrommelde een leeg zakje en wierp dat naar Brent. 'Doe niet zo flauw. Die koffie is best te drinken.'

Brent stak zijn tong uit. 'Dat jij nou kinderkoffie drinkt, wil nog niet zeggen dat grote mensen dat lekker vinden.'

'Grote mensen... jij?' Hanna lachte. 'Volgens mij ben je in de war. Wie wilde per se het broodje met de spikkeltjes? Nou? Wie is hier nu het kind?'

Brent gooide het propje papier terug. 'Hou maar op, de boodschap is begrepen.'

Parrot had het tafereel gadegeslagen en genoot van de ontspannen sfeer. 'Zo te zien kunnen jullie allemaal goed met elkaar overweg.'

'*One big family,*' riep Mike en hij gebaarde dat hij graag koffie wilde.

Terwijl Brent koffie maakte en iedereen vrolijk aan het praten was met elkaar, liep Joan naar de gang. Ze kon niet denken in die drukte.

'Hé, gaat het?' Tanja stond achter haar en keek bezorgd. 'Ja hoor.'

Tanja keek haar zus onderzoekend aan. 'Niet liegen. Ik zie toch dat er wat is.'

Joan boog haar hoofd. 'Ik heb iets stoms gedaan.'

'Het zal toch niet,' mompelde Tanja. 'Vertel op.'

De nuchterheid van Tanja overviel Joan. Ze besloot haar zus in te lichten. Twee wisten meer dan één.

'En nu komt Brent er vast achter,' besloot ze haar verhaal. 'Ik moet het hem wel vertellen. Als je had gebeld dat jullie langs zouden komen...'

'O, dus het is mijn schuld?'

'Nee, nee, zo bedoel ik het niet. Het is mijn eigen stomme schuld, maar hoe kom ik hier heelhuids uit?'

'Tja, met de billen bloot. Het is niet anders.'

'Wie heeft er blote billen?' Brent kwam de gang in gelopen. 'Koffie?' Hij overhandigde Tanja een kop.

'*Thanks*,' zei Tanja en ze liep naar de keuken. '*Good luck*.'

Brent liep naar Joan. 'Waar ging dat over?'

Joan keek over zijn schouder naar Tanja die in de deuropening van de keuken naar haar knipoogde. 'Over mij,' fluisterde ze.

'Vertel op.' Brent grijnsde. 'Bloot?'

Joan glimlachte, maar haar ogen lachten niet mee. 'Ik moet je iets vertellen.'

'Oeps, dat klinkt ernstig.'

'Dat is het ook.'

Ze aarzelde even. 'Er is een misverstand tussen ons.'

'O?'

'Jij denkt dat ik niet meer op school zit,' begon Joan. Ze beet op haar lip. 'Maar dat is niet waar.'

'O?'

'Ik zit nog wel op school. Sterker nog, ik moet nog een jaar.'

Het was even stil.

'Ik spijbel al twee weken.' Joan was blij dat het eruit was. Ze keek naar Brent. Waarom zei hij nou niets?

'Dus je hebt gelogen?' Brent sprak de woorden tergend langzaam uit.

'Nee, niet echt. Het is meer een misverstand.'

'O, dus jij noemt liegen een misverstand.'

'Ik heb niet gelogen,' riep Joan. 'Ik heb gezegd dat ik niet naar school ging en toen maakte jij daaruit op dat ik niet meer op school zat en dat ik mijn diploma al had.'

'Ho, ho, nu geef je mij de schuld?'

'Nee, maar ik...'

Brent draaide zich om en wilde weglopen, maar Joan pakte zijn arm en ging voor hem staan.

'Niet doen,' zei ze. 'Laat het me uitleggen. Je maakt het veel erger dan het is.'

'En dat bepaal jij?'

'Luister nou gewoon even naar me, ja!' Joans stem klonk vastberaden. 'Je kunt ook een hele nacht naar Hanna luisteren.' Ze haalde diep adem. 'Jij begreep mij verkeerd en ik heb jou in de waan gelaten dat ik klaar was met school. Natuurlijk wist ik dat ik dat niet moest doen, maar het ging vanzelf. Het was makkelijker om niets te zeggen dan om het helemaal uit te leggen. En trouwens, ik heb me ziek gemeld om bij jou te zijn.' Ze voelde dat ze rood werd.

'Dus je spijbelt?'

'Ja.'

'En Tessa zit gewoon bij jou in de klas?'

Joan knikte. 'Ja, ze is niet ziek. Ze belde gisteravond op over een werkstuk dat we samen zouden maken. Ik moest wel naar haar toe. We hebben tot laat in de avond gewerkt.'

'Hmm.' Brent staarde voor zich uit.

'Het spijt me, Brent,' ging Joan verder. 'Jij begreep me verkeerd en ik vond het geweldig dat je zo trots op me was.' Ze boog haar hoofd. 'Ik had het veel eerder moeten zeggen.'

Brent legde zijn wijsvinger onder haar kin en tilde haar hoofd op. 'Ja, inderdaad. Nu zeg je eindelijk iets verstandigs. Weet jij eigenlijk wel waarom ik je leuk vind? Omdat je een doorzetter bent en vol energie zit. En of je nu wel of geen diploma hebt, of wel of niet nog op school zit, heeft daar niets mee te maken. Hoe kun je dat nou denken?'

'Ik dacht dat je mij leuker zou vinden als ik volwassen overkwam.'

'Dat is dan niet echt gelukt.' Brent grijnsde. 'Spijbelen... poeh, dat is iets voor kleine kinderen.'

'Het spijt me,' zei Joan.

'Maar ik ben blij dat je het verteld hebt,' zei Brent. 'Hoef ik voorlopig de toneelacademie niet te bellen.'

'Ben je nu boos?'

'Heel erg.'

'Hoe erg?'

Brent dacht na. 'Wel drie kilometer erg.'

Joan zag zijn ogen twinkelen. 'Kan ik het goedmaken?'

'Onmogelijk...'

Joan sloeg haar armen om zijn hals. 'Echt niet? Ik doe alles voor je.'

'Hmm, in dat geval...' Brent drukte zijn lippen op haar mond en trok haar naar zich toe. Joan beantwoordde zijn zoen en ze jubelde vanbinnen. Ze had de waarheid verteld en Brent was niet boos. Tanja had gelijk: liegen leidde nergens toe. Er kwam altijd een moment dat je de waarheid onder ogen moest zien.

Brent liet haar los. 'Ik weet al wat.' Hij keek haar uitdagend aan.

'Wat dan?'

'Dat vertel ik je vanavond,' fluisterde hij. 'Dan beginnen we opnieuw.'

Er klonk gelach vanuit de keuken en ze draaiden zich om.

'De pauze is voorbij,' riep Hanna. 'Iedereen weer op zijn post!'

Terwijl de keuken leegstroomde en iedereen zijn plekje

weer opzocht, liep Tanja naar Joan. 'Opgelost?'

'Ja.' Joan keek naar Brent die zijn kwast weer had opgepakt. 'Bedankt.'

'Niets te danken. Ik ben blij dat ik net op tijd arriveerde. Weet jij wat er met Hanna is?'

'Hoezo?'

'Ze doet al een tijdje vreemd. Ik weet het niet. Het is net of ze er niet helemaal met haar gedachten bij is.' Tanja keek naar Hanna die net de trap op liep. 'Maar nu ik haar zie, valt het mee.' Ze haalde haar schouders op. 'Misschien heb ik me wel vergist. Als je zo in je eentje in Londen zit te verpieteren, ga je de raarste dingen denken.'

'Je vermaakt je volgens mij uitstekend,' zei Joan lachend. 'De roddelbladen –'

'Hou op over die paparazzi. Ze weten me overal te vinden.'

'Heeft Danny nog gebeld?'

Tanja schudde haar hoofd. 'Nee, en dat is misschien maar beter ook. Ik ben hem niet waard.'

'Doe niet zo raar.'

'Ik ben helemaal losgeslagen.' Tanja keek haar zus aan. 'Sinds Danny het heeft uitgemaakt, is het net of niets me meer kan schelen. Iedere avond sta ik wel ergens te dansen en te feesten. De jongens bieden zich bij bosjes aan en ik maak er nog misbruik van ook.'

'Je gaat toch niet...' Joan keek verschrikt.

Tanja schudde haar hoofd. 'Nee, het blijft bij wat dansen en zoenen.' Ze zuchtte. 'En weet je, hoe meer ik feest, hoe rotter ik me voel.'

'Mis je hem?'

'Ja.'

'Dan bel je toch zelf?'

'Hij ziet me aankomen. Ik ben degene die het verprutst heeft. Steeds als hij belde, had ik geen tijd. Ik had het veel te druk met mijn eigen leventje.' Ze dacht na. 'Nu pas besef ik hoe belangrijk hij voor mij is, maar nu is het te laat.'

'Het is nooit te laat,' zei Joan. 'Kijk naar mij en Brent.'

Tanja glimlachte. 'Ik ben blij voor je. Hij is echt leuk, hè?'

'Leuk? Brent is het allerlekkerste snoepje van de week... van het jaar... van de eeuw!'

'Ik heb mijn snoepje verspeeld,' mompelde Tanja. 'En daar zal ik het mee moeten doen.' Ze liep de trap op en passeerde Brent en Mike. 'Wel netjes verven, jongens!'

'Komt voor elkaar, kapitein,' riep Brent en hij wierp Joan een luchtkusje toe. Joan tuitte haar lippen en liep naar de keuken. Ze zou Tanja een eindje op weg helpen.

Achter in de keuken waar niemand haar kon zien, toetste ze het nummer van Danny in op haar mobiel. Misschien was er nog een kans voor die twee.

'Ik zet de ramen maar even open.' Hanna legde haar kwast neer en liep naar de openslaande deuren van de huiskamer. 'Die verflucht is verschrikkelijk.'

Tanja streek de laatste klodder verf uit en deed een stap naar achteren. 'Dat heb ik keurig gedaan, al zeg ik het zelf.' Ze legde haar kwast neer en liep naar Hanna die op het kleine balkon stond. 'Het schiet op.'

Hanna zweeg.

Tanja kwam naast haar staan. 'Mooi uitzicht.'

Nog steeds zei Hanna niets.

'Tong verloren?'

Hanna glimlachte. 'Nee, ik sta te genieten.'

'Mag ik meegenieten?'

'Graag.'

Een paar minuten lang stonden ze zwijgend voor zich uit te staren. Met een schuin oog keek Tanja naar haar zus. Het onbestemde gevoel kwam weer terug. Er was iets met Hanna, maar wat?

Tanja verbrak de stilte. 'Hoe is het met je?'

'Goed.'

'Goed goed... of redelijk goed?'

Hanna keek op. 'Hoe bedoel je?'

De vermoeide blik in Hanna's ogen was niet te missen, vond Tanja. 'Hanna, ik maak me zorgen.'

'O.'

'Om jou.'

'Om mij? Waarom?' Hanna probeerde zo neutraal mogelijk te kijken, maar Tanja prikte er dwars doorheen. 'Gewoon... een gevoel. Je bent zo afwezig de laatste tijd. En stiller dan anders. Ik ken je nu goed genoeg om te weten dat je ergens over piekert.'

'Denk jij nooit na over dingen?'

'Jawel, maar niet zo lang dat ik daaraan onderdoor ga.'

Hanna haalde diep adem. 'Het is al goed,' zei ze. 'Ik heb het inderdaad even moeilijk gehad, maar het is nu over.'

'Echt over, of niet-aan-denken over?'

Hanna glimlachte. 'Heb jij een stoomcursus psychologie gedaan of zo?'

'Ja, kreeg ik er gratis bij toen ik in Londen ging wonen. Vertel op. Ik wil alles weten.'

Met horten en stoten vertelde Hanna wat er allemaal was gebeurd. Hoe ze steeds dieper wegzonk in haar sombere gevoelens en hoe ze het dacht op te lossen. 'Het was gewoon stom van me,' besloot ze haar verhaal.

'Soms doen we stomme dingen,' mompelde Tanja. 'De

consequentie is dan dat we dingen kwijtraken.'

Hanna keek Tanja aan. 'Heb je het nu over mij of over jezelf?'

'Allebei.'

'Wil je erover praten?'

Tanja schudde haar hoofd. 'Het is goed zo. We hebben het allebei op onze eigen manier opgelost.'

Hanna sloeg een arm om haar zus heen. 'Kun je je voorstellen dat ik nu een eigen huis heb? Een plekje helemaal van mezelf?'

'Dat komt wel als je hier echt woont. In het begin moest ik heel erg wennen aan mijn nieuwe huis. Het was net of ik op vakantie was en ieder moment weer terug kon worden gestuurd naar het weeshuis.'

'En nu?'

'Nu is het mijn thuis, de plek waar ik me veilig voel en waar ik ongestoord mezelf kan zijn.'

'Dat is inderdaad belangrijk.' Hanna knikte. 'Dat wil ik ook. Mezelf zijn.' Ze zuchtte. 'Ik moet alleen nog even uitvinden wie ik ben... wat ik wil.'

'Jij bent Hanna,' zei Tanja. 'Mijn slimme, verstandige, lieve zusje dat altijd voor anderen klaarstaat.' Ze wachtte even. 'Misschien wordt het tijd om eens aan jezelf te denken.'

'Dat zei Brent ook al,' antwoordde Hanna.

'Dus is het waar.'

'Misschien.'

Tanja gaf Hanna een kus op haar wang. 'Tuurlijk is het waar. Luister naar je wijze zus. Vanaf nu denk je vaker aan jezelf. Iets drinken?'

'Zal ik het even halen?' Hanna draaide zich om en stapte de kamer in.

'Fout!' Tanja duwde haar terug naar het balkon. 'Opnieuw. Wil je iets drinken?'

Heel even keek Hanna haar niet-begrijpend aan, maar toen lachte ze. 'Ja, graag... cola alsjeblieft.'

16

Geopend

Het was druk op de Herengracht. Een grote groep mensen stond voor het huis waar de afgelopen dagen heel hard aan was gewerkt. Passerende voetgangers en fietsers bleven nieuwsgierig staan. Joan en Hanna stonden op de trap en gebaarden om stilte. Langzaam verstomde het rumoer.

'Lieve aanwezigen,' begon Joan en ze keek naar Brent die achter Parrot en Mike stond. 'Ik heet jullie allemaal hartelijk welkom bij de opening van ons nieuwe huis.'

Hanna, die iets achter Joan stond, keek de aanwezigen een voor een aan. Haar blik gleed naar haar ouders die, samen met Thijs, Kim en Bram, vooraan stonden. Heel even kruiste haar moeders blik de hare en Hanna wist dat het goed was. Ze had gisteravond een fijn gesprek gehad met haar ouders. Het was een afscheid en een nieuw begin tegelijk. Hanna had haar ouders bedankt voor al hun liefde en steun en samen hadden ze teruggeblikt op haar jeugd. Hanna had vreselijk gelachen om haar vaders verhalen over hun kampeervakanties. Ze hadden foto's bekeken en gesproken over haar toekomst.

'De deur staat altijd open,' had haar moeder gezegd.

'Helemaal niet,' had haar vader gekscherend gezegd. 'Dat zou even lekker zijn voor alle criminelen. Je moeder bedoelt dat je hier altijd welkom bent en dat we hopen dat we ook welkom bij jou zijn.'

Terwijl Joan haar speech afstak, keek Hanna naar meneer en mevrouw Van den Meulendijck, die aan de zijkant bij Hilke stonden. Het had er nog even om gespannen of ze er allebei bij konden zijn, maar het was gelukt. Joan was er reuzeblij mee geweest. Candy zat in de armen van Joans moeder en kwispelde met haar staart.

Tanja stond achteraan, vlak bij de kadekant en was druk in gesprek met Anneke, de leidster van haar oude weeshuis. Hanna had verbaasd gereageerd op het verzoek van Tanja om Anneke uit te nodigen, maar nadat Tanja had uitgelegd dat Anneke voor haar een moeder was en dat Hanna en Joan toch ook hun ouders hadden uitgenodigd, begreep ze hoe belangrijk het voor haar zus was. Zo te zien hadden Tanja en Anneke heel wat bij te praten.

Helemaal links stonden Shanon en Josien. Ze was blij dat haar vriendinnen erbij waren. Tenslotte zouden ze nog een heel schooljaar samen doorbrengen. Ook Tessa, de vriendin van Joan, en Maura, de vriendin van Tanja waren er. Maura was met Anneke meegekomen en keek nieuwsgierig om zich heen.

'En daarom nodig ik jullie uit om na de officiële opening een kijkje binnen te nemen,' riep Joan.

Er werd geapplaudiseerd en Hanna concentreerde zich weer op haar taak. 'Lieve mensen,' begon ze. 'Toen Joan met het voorstel kwam om samen in één huis te gaan wonen, had ik wel zo mijn bedenkingen.'

Hier en daar werd gelachen.

'En ook mijn ouders stonden niet te springen,' vervolgde ze. 'Laat staan mijn broertjes en zus.'

Ze zag Kim en Thijs verlegen kijken.

'Al snel bleek dat onze smaken een eind uit elkaar lagen. Joan wil alles modern en wit, ik ben meer voor een klassiekere uitstraling. Kortom... het was even schipperen. Maar we hebben een oplossing gevonden waar we allebei tevreden over zijn. Jullie zullen het zo dadelijk zien. Voordat we het huis gaan openen, wil ik iedereen hartelijk bedanken voor alle steun, liefde en hulp die we hebben gekregen de afgelopen tijd.'

Er klonk gejuich.

Joan pakte de fles champagne die op de grond klaarstond en verzocht om stilte. De fles zat vast aan een lint dat weer vastzat aan de verhuiskatrol boven aan de gevel. Joan gebaarde Hanna dat ze haar handen ook om de fles moest klemmen en samen hieven ze de fles boven hun hoofd.

'Hierbij verklaren wij ons huis voor... geopend!'

Ze lieten de fles los en keken toe hoe hij tegen de houten deur kapotsloeg. De champagne spetterde in het rond. Er werd geapplaudiseerd en gejoeld. Brent rende met een bezem de trap op en veegde de scherven aan de kant.

Hanna opende de deur en nodigde iedereen uit om naar binnen te komen. In de hal stonden obers klaar met champagne en lekkere hapjes. Een voor een kwamen de gasten binnen. Ook de fotografen mochten mee naar binnen. Er was een overeenkomst met de bladen dat ze tijdens de opening foto's mochten nemen in ruil voor privacy in de toekomst. Dat Tanja en Parrot hier ook regelmatig zouden wonen was niet onopgemerkt gebleven door de paparazzi.

Joan en Hanna hadden het hele huis keurig opgeruimd, zodat ze zich niet hoefden te schamen voor rondslingerende meidendingen.

'Ik ben zo trots op je.' Hanna's moeder nam een slok van haar champagne. 'Mmm, dat is een tijd geleden!'

Hanna moest lachen. Ze had haar moeder nog nooit champagne zien drinken. 'Ik heb jullie foto op mijn kast gezet,' zei ze. 'Heel erg bedankt.'

Kim en Thijs stonden met open mond om zich heen te kijken. 'Wow, wat gaaf,' riep Kim en ze keek met een jaloerse blik naar haar oudere zus. 'Jij kunt nu iedere avond stappen, zonder dat mama moppert.'

Hanna sloeg een arm om haar heen. 'Kom je een keer logeren? Gaan we samen stappen.'

'Echt?' Kim keek haar zus ongelovig aan. 'Ben je niet boos dan?'

'Waarom zou ik boos zijn?'

Kim haalde haar schouders op. 'Nou, ik ben niet echt aardig geweest en we hebben je ook niet geholpen met het huis.'

'Maar goed ook,' zei Hanna lachend. 'Jullie kunnen niet eens je eigen kamer netjes houden, laat staan een heel huis.'

'Welles,' riep Thijs. 'We oefenen als gekken.'

'Als mama het goedvindt,' zei Hanna, 'dan kom je een weekendje hier slapen. Kamers genoeg!'

'Joepie! Mag ik ook een keertje komen logeren?' riep Bram.

'Tuurlijk, dan gaan we varen op de boot, goed?'

Terwijl Bram door de gang danste, liep Hanna de trap op. 'Willen jullie mijn kamer zien?'

Joan liep met haar ouders en Brent door de keuken. Hilke bekeek de apparatuur en gaf Joan complimenten. 'Nu nog leren koken,' zei ze zachtjes, zodat Joans ouders het niet konden horen. 'Je belt maar als je iets niet weet.'

Tanja zat in de huiskamer aan de grote tafel met Anneke en Maura. Ze praatten honderduit. Het voelde goed om haar oude bekenden weer te zien. Natuurlijk moest Tanja vertellen over haar nieuwe leven in Londen, maar ook Maura had van alles te vertellen en Tanja luisterde geïnteresseerd, terwijl ze vanuit haar ooghoeken alle gasten in de gaten hield.

Joan liep naar Tanja en fluisterde iets in haar oor. 'Of je even beneden komt.'

Tanja keek verbaasd. 'Nu?'

'Ja, het is belangrijk.' Joan keek naar Anneke en Maura. 'Sorry, maar ze moet even mee. Kijk ondertussen lekker rond.' Ze trok Tanja van haar stoel en liep naar de gang.

'Er is toch geen brand?' Tanja klonk gepikeerd. Ze liep achter Joan aan de trap af. 'Wat is er zo belangrijk dat...'

Haar adem stokte en ze bleef halverwege de trap staan.

De meeste gasten waren boven, zodat het in de hal stil was. Er stond maar één persoon onder aan de trap.

'Danny?' Tanja voelde haar stem trillen.

'Hoi, Tan.' Danny kwam de trap op.

'Ik laat jullie even alleen,' fluisterde Joan en ze glipte terug naar boven.

'Maar...' Tanja keek naar Joan en begreep wat er gebeurd was. Voordat ze iets kon zeggen, stond Danny voor haar. Ze sloeg helemaal dicht. Dit had ze niet verwacht. Wat moest ze doen? Wat moest ze zeggen?

'Joan vertelde dat je me miste,' zei Danny en hij keek haar onderzoekend aan, maar nog steeds zei Tanja niets.

'Is dat zo?' Danny pakte haar hand. 'Tanja?'

Tanja knikte. 'Ik... ja, ik mis je vreselijk.' Haar keel voelde dik aan en het was of de woorden eruit geperst moesten worden. 'Wat doe jij hier?'

'Jou vertellen dat ik een rund ben,' zei Danny. 'Ik had het nooit uit moeten maken.'

'Nee.' Tanja boog haar hoofd.

'Maar jij zei ook niets,' ging Danny verder.

'Nee.'

'Dus ik dacht, misschien heeft Joan gelijk en moeten we het uitpraten.'

'Ja.'

Danny glimlachte. 'Lekker gesprek zo.'

'Ja.' Tanja haalde diep adem. 'Sorry, ik had je niet verwacht.'

'Nee, daarom heet het ook een verrassing.' Danny kwam dichterbij. Zijn gezicht was nu vlak bij het hare. 'Tanja, ik...' Hij boog voorover en kuste haar zacht op haar mond. Heel even keken ze elkaar aan, maar toen sloeg Tanja haar armen om zijn hals en zoende hem zoals ze nog nooit gedaan had. Overrompeld door haar enthousiasme beantwoordde Danny haar kus.

Tanja kon het niet geloven. Danny was hier en hij wilde het goedmaken! Hij miste haar ook en was naar Amsterdam gekomen. Minutenlang stonden ze verstrengeld. Een paar gasten liepen langs hen de trap af, maar ze merkten het niet.

Eindelijk liet Tanja Danny los. 'Hoe lang blijf je? Ik bedoel...'

'Zo lang jij wilt.' Danny lachte. 'Ik hoorde dat jij nog een paar dagen blijft voordat je weer naar Londen moet.'

'Ja, ja. O, wat gaaf! Kom, ik stel je aan iedereen voor.' Ze trok Danny mee de trap op. Bovenaan bleef ze staan en draaide zich om. 'Ach wat... dat kan nog wel even wachten.' Ze omarmde hem opnieuw.

'Ik ben een enorme MZZLmeid,' riep Hanna toen ze de huiskamer uit kwam lopen en de badkamer in wilde. Ze keek vol verbazing naar Tanja en Danny die hevig zoenend boven aan de trap stonden. 'Maar zo te zien ben ik niet de enige.'

Joan die met Brent vanaf de tweede verdieping kwam, ving Hanna's woorden op. Ze kneep in Brents hand. 'Geluk kun je niet afdwingen, maar je kunt het wel een beetje op gang helpen.' Ze gaf Hanna een knipoog. 'Maar goed dat we zoveel kamers hebben. Het wordt nog druk komende week.'

'Huize Overvol,' zei Brent lachend. 'Jullie wisten toch geen goede naam voor het huis? Nou, zo te zien, hebben we er eentje gevonden.'

'Ik heb een beter idee,' riep Hanna.

'Wat dan?'

'Huize MZZL.'

MZZLmeiden

deel 1

Vlak voor hun zestiende verjaardag krijgen Tanja, Hanna en
Joan een vreemde brief: of ze op hun geboortedag naar de notaris willen komen. De drie op het oog totaal verschillende meiden hebben elkaar nog nooit gezien. Bij de notaris blijkt dat ze
toch iets gemeen hebben: hun inmiddels overleden moeder en
hun onbekende vader.

Aanvankelijk willen de zussen niets van elkaar weten. Maar
na de eerste schok – ze zijn een drieling! – wint hun nieuwsgierigheid het. Ze besluiten samen op zoek te gaan naar hun vader. Wie is hij? Reist hij nog steeds als zanger en gitarist rond,
zoals hij zestien jaar geleden met hun moeder door Europa trok?
En bovenal: zal hij iets van zijn drie dochters willen weten?

ISBN 978 90 261 3108 0

Na de ontdekking dat Tanja, Hanna en Joan drielingzussen zijn, staat hun een nieuwe verrassing te wachten. Hun vader is niemand minder dan de zanger van de beroemde band The Jeans.

De paparazzi volgen de groep op de voet en ze krijgen lucht van het drietal. Wie zijn die jonge meiden? Zijn ze nieuwe liefdes van de wereldberoemde zanger? Plotseling verschijnen Tanja, Hanna en Joan in de roddelbladen. Ook hun kersverse vader moet wennen aan de situatie. Hij wil zijn dochters uit de media houden, maar de pers laat zich niet zomaar wegsturen.

Dan slaat de liefde toe. En hoe! Hanna is tot over haar oren verliefd op Jasper die een stuk ouder is en Joan dreigt haar hart te verliezen aan de persoonlijke assistent van haar vader. Maar omdat ze niets mag verklappen over haar relatie tot de zanger, levert dit behalve stiekeme zoenen vooral grote spanningen op...

ISBN 978 90 261 3150 9

MZZLmeiden on tour
deel 3

Joan, Hanna en Tanja mogen met hun vader en zijn band op
tournee naar Rome! Terwijl Tanja nog snel haar vertrek uit het
tehuis regelt en Hanna haar bezorgde ouders vertelt dat Jasper
met haar meegaat, droomt Joan ervan om te gaan shoppen in
Rome.

Eenmaal in Italië komen de meiden al snel voor allerlei verrassingen te staan. Zo ontdekt Tanja dat ze zangtalent heeft,
merkt Hanna dat Jasper 'meer' wil dan alleen zoenen, wordt de
band getroffen door een mysterieuze ziekte en komt Joan erach-
ter dat Hilke een geheime minnaar in Rome heeft...

Naarmate de tour vordert, gedraagt hun vader zich boven-
dien steeds vreemder. Het lijkt of hij dingen achterhoudt. Waarom doet hij zo geheimzinnig?

 Wanneer Joan per ongeluk een sms'je op haar vaders mobie-
le telefoon leest, krijgt ze de schrik van haar leven...

ISBN 978 90 261 3188 2

MZZLmeiden verliefd

deel 4

Joans oom is van plan een hotel over te nemen in Monaco. Hij
vraagt haar als 'spion' naar de rijke badplaats te komen om het
hotel te beoordelen. En zo liggen Joan en haar twee zussen enkele dagen later aan het zwembad van een vijfsterrenhotel. Ze
vermaken zich uitstekend. Joan valt als een blok voor een aan-
trekkelijke filmster. Ze ziet zichzelf al rondlopen op de filmset
en de harten van Hollywood veroveren.

Hanna wordt tot haar grote schrik verliefd op Pieter van de re-
ceptie. Hij straalt avontuur uit, juist datgene wat haar vriend Jasper mist. Hanna vraagt zich vertwijfeld af wat ze nu moet doen.

Tanja is onder de indruk van Danny die in een strandtent
werkt: eindelijk een 'normale' jongen tussen al die rijke hot-
shots. Maar haar opluchting is van korte duur...

Wanneer blijkt dat er regelmatig wordt ingebroken bij de ho-
telgasten thuis, gaan de zussen op onderzoek uit. Als ook hun
vader Parrot opduikt, is de verwarring compleet!

ISBN 978 90 261 1153 2

MZZLmeiden party!

deel 5

Tanja, Hanna en Joan organiseren een verrassingsfeest voor hun
vaders verjaardag. Ze gaan een lang weekend met zijn allen naar
Londen!

Voor Joan is het een goede gelegenheid om zich in te schrijven bij bekende modellenbureaus. Daar ontmoet ze de sympa-
thieke Brent die als postjongen voor een castingbureau werkt.
Hij is erg leuk, maar haar verstand zegt dat ze voor zijn baas
moet gaan om haar kansen te vergroten.

Hanna kan Pieter uit Monaco maar niet vergeten. Als haar
vriend Jasper daar achter komt, is het mis. Hanna wil niet kiezen en heeft besloten het leven wat minder serieus te nemen.
Dan verschijnt er nog een dérde leuke jongen!

Tanja verovert met haar cd de hitlijsten in Europa. Ze wordt
overstelpt met interviewaanvragen en verschijnt in elke televi-
sieshow. Tanja heeft voor niemand meer tijd. Begint het succes
haar naar het hoofd te stijgen?

ISBN 978 90 261 2404 4

MZZLmeiden beroemd
verhalenbundel

Heb je nog niet eerder kennisgemaakt met de avonturen van de
MZZLmeiden? Dan is dit je kans! Marion van de Coolwijk
schreef veertien maanden lang korte verhalen voor *Tina* over
Joan, Hanna en Tanja, die nu gebundeld zijn op verzoek van de
fans.

Wie de MZZLmeiden al langer volgt, leert ze nog beter kennen
in deze nieuwe verhalen. Hanna blijkt ernstige hoogtevrees te
hebben en probeert wanhopig te kiezen tussen Jasper en Pieter.
Of dat lukt? Joan wordt op het vliegveld beroofd van haar tas
met dramatische gevolgen voor de drieling. Tanja schaatst de
benen uit haar lijf en ontdekt dat beroemd zijn niet altijd even
leuk is...

ISBN 978 90 261 2426 6